양계장 쪽으로

양계장 쪽으로

발　행 | 2024년 07월 29일
저　자 | 민유민
펴낸이 | 한건희
펴낸곳 | 주식회사 부크크
출판사등록 | 2014.07.15.(제2014-16호)
주　소 | 서울특별시 금천구 가산디지털1로 119 SK트윈타워 A동 305호
전　화 | 1670-8316
이메일 | info@bookk.co.kr

ISBN | 979-11-410-9802-5

www.bookk.co.kr

양계장 쪽으로

민유민 소설집

작가의 말

지나온 시간과 함께했던 인연들에 감사 인사를 나눕니다. 스물셋, 덜 익은 사과를 든 채 등단 소식을 들은 이후 한동안 고인 물로 살았습니다.

아쉬움 한가득, 하지만 새로운 페이지를 위해 이전의 이야기들을 정리하기로 하였습니다. 스무 살부터 스물다섯 살까지, 이십 대 초기에 쓴 소설과 박사과정을 졸업한 후 탈북을 소재로 한 「일당」, 「양계장 쪽으로」라는 짧은 소설을 모아 단행본으로 묶었습니다.

이제 세상에 부끄럽고도 당찬 마음으로 두 손 모아 소설집을 내밀어봅니다. 다시 새로워질 '민유민'의 앞날을 기대해 봅니다.

안쓰럽고 시리도록 아프지만, 세상에 나갈 소설들을 위해 지나온 시간과 인연들에 등을 토닥이고 마지막 인사를 나눕니다. 서툴렀던 시간을 함께했던 철없고 순수했던 이십 대, 옹이로 남은 인연에 고개 숙여 고마움과 미안한 마음 전합니다.

'덜 익었지만 함께한 시간만큼은 맛나고 행복한 한때였다'라고 스스로 위로도 해봅니다. 눈부시도록 아름다웠노라고, 찬란하고 뜨거웠노라고, 그 시절 고인 눈물과 처절하게 외로웠던 시간에 이제야 고마웠다고 말해봅니다.

찰나로 남은 이십 대, 추억으로 남은 순간들에 이 책을 바칩니다. 그 시절 긴긴밤 하얗게 흐르던 시간 속에 생각의 탑을 쌓던 '김민숙'에게 이제 다 괜찮다고 위로해 봅니다. 그리고 유랑하는 영혼이 될 새로운 '민유민'에게 등을 토닥여 세상에 내보냅니다.

바쁘신 와중에도 기꺼이 소설을 읽어주시고 고풍스러

운 글의 품격으로 소설의 어깨를 밀어주신, 우주처럼 넓은 시인 송재학 선생님께 고개 숙여 고마운 마음 전합니다.

스무 살, '논두렁 깡패'라는 별명을 지어주시고 강단 있는 내면을 단박에 눈치채신, 스승 신덕룡 교수님과 '탈북'이라면 아낌없이 조언해 주시고 든든하게 동행해 주시는 박덕규 교수님께 고마운 마음을 전합니다.

더불어 나를 닮은 하엘과 나무처럼 늘 그 자리에 있는 나무의자에게 이 책으로 고마움을 대신합니다. 늘 푸른 언덕처럼 생의 절반을 지지해 주신 아버지와 뜻하지 않게 일찍 영혼의 고장으로 돌아가신 생각의 팔 할을 차지했던 어머니, 강윤남 여사께 마음 깊이 감사를 드립니다. 당신이 보고 읽을 수 없는 거리에 있어도 언젠가 영혼의 고장에서 웃으며 함께 마주할 날을 기대합니다.

무엇보다 무의 궤도에서 소파의 위치를 바꾸고, 방충망을 달며 뜨거운 차를 마셔줄 미래의 따뜻한 입김에게 전합니다. 늘 축복하고 사랑합니다.

'민유민'이라는 새로운 삶을 살게 해준 '너'에게 이 책을 바칩니다. 지금도 어딘가에서 숨죽여 외로움에 몸서리칠 '너'를 위해 오늘도 글을 씁니다. 이제 읽고 쓰고 세상에 내보내는 것이 '너'를 위한 길이 될 것입니다. 무수히 많은 말을 담아둘 둥글고 오목한 귀는 아니나 흘려듣지는 않겠습니다. 그런 '너'에게 오늘도 응원과 위로의 메시지를 남깁니다.

<너를 대신한 나의 말> 첫 번째는 바로 『양계장 쪽으로』입니다. 당신의 말을 대신한 이 글이 조금이나마 힘이 되기를 바랍니다.

2024년 7월, 장마와 열대야 속에서

민유민

추천의 글

작가 민유민에게 탈북문학 연구자라는 포즈는 중요하다. 민유민의 첫 번째 창작집에서, 디아스포라의 스프링을 꾹꾹 누르면서 말해야 하는 어휘가 있다면, 소설의 제목이기도 한 '틈'이다.

단편 「틈」에 의하면, 틈은 생활의 어긋남이기에 삶/생각의 어긋남으로 자란다. 단편 「레몬타임」에서 틈은 레몬타임 혹은 꽃화분 등의 소도구로 변주되어 우리에게 가짜와 진짜, 상상과 현실을 오가는 매개물이라는 공간성을 획득한다. 예컨대 화자인 미리가 '명'과 '남자' 사이에서 배회할 때, 두 남자는 다르면서도 쉬이 닮아가는 일란성쌍생아처럼 혹은 서로 마주 보는 얼굴처럼 보인다. 레몬타임의 진위를 확인하려는 모든 등장인물들처럼 「레몬타임」 속에서 독자들 역시 공감의 패

턴을 반복한다. 이후 '틈'은 진화하여 디아스포라 세계관에서의 상상력 일부가 된다.

「일당」과 「양계장 쪽으로」 등은 소위 탈북민 소설의 유형이다. '탈북 작가'의 탈북민 소설과 '남한 작가'의 탈북민 소설은 어떤 층위에서 만나는 것일까. 남한 작가의 경우 이 장르에서 취재가 쉽지 않고 북한 사회의 구조 파악이 어렵고 일상어에 대한 리얼리티 부족이라는 지적을 받고 있지만, 민유민의 작품은 탈북민의 불안이라는 정서와 잘 결합하고 있다.

단편 「일당」은 정훈이 일혁에게 속아 아내와 아이를 잃어버린 심리에 정치하게 접근한다. 그 상황은 디아스포라라는 보편적 실재의 개별성이다. 그럴 때 과연 화자 혹은 작가의 선택은 무엇일까. 정훈이 자신의 일당마저 일혁에게 내던지면서 극한에 도달할 때, 작가가 선택한 담담한 문체는 작가의 가치체계 또는 응답이라 하겠다.

단편 「양계장 쪽으로」에서도 서사적 장치는 섬세하다. 화자인 주 씨는 북한의 중좌, 어쩔 수 없이 탈북을 시도하여 지금 중국에 머물고 있다. 하지만 당국은 주 씨의 형이 남한에 있는 것에 늘 주목하고 있었다. 죽은 줄 알았던 형이 자신을 찾기 위해 여러 상황을 유도했는데, 주 씨는 이 놀라운 반전을 믿지 못하고 부정과 부재라는 자신이 만든 괴물과 마주치고 만다. 상기하자면 디아스포라는 이성과 성찰이 확장된 근대 이후 인간 집단의 실패한 거리감이 아니던가.

민유민의 소설을 덮으면서 국경의 틈 / 틈들 사이에서 대신 살게 된 수많은 눈동자의 호명을 무시로 들어야만 했다.

송재학(시인)

차례

틈

틈

처음 바퀴벌레를 본 것은 그릇을 씻을 때였다. 나는 이삿짐을 풀고 그릇들을 씻어 찬장에 차곡차곡 올려놓고 있었다. 그때 새끼손톱만 한 바퀴벌레가 더듬이를 움직거리며 찬장 바닥에 붙어있는 게 보였다. 나는 고무장갑을 낀 손으로 바퀴벌레를 개수대로 쓸어내리고 뜨거운 물을 틀어 흘려보냈다. 거품을 잔뜩 묻혀 그릇을 씻고 있는데 바퀴벌레가 발가락 위로 떨어지기도 했다. 바퀴벌레는 밥상 다리에서 기어 나오거나 냉장고 문을 열 때도 나타났다. 새벽에 화장실 문을 열면 타일에 붙어있던 여러 마리의 바퀴벌레가 불빛에 놀라 도망가기도 했다. 나는 잠결에 그것들을 잡지 못하고 샤워기로 뜨거운 물을 뿌려댔다. 바퀴벌레는 내가 방심할 때면 느닷없이, 종종 나타났다. 방문을 열 때마다 방바닥과 천장을 확인했고, 개수대에 물기를 남김없이 마른 수건으로 닦은 후 창문을 열어 환기를 시켰다. 나는 심지어 검은콩을 바퀴벌레로 착각하기도 했다.

어제 덮어둔 사전케이스는 그대로였다. 나는 국어사전 옆에 밥상을 내려놓았다. 전원이 켜진 텔레비전 화면에는 그릇에 가득 담긴 간장 게장이 나오고 있었다. 비닐장갑을 낀 쇼호스트는 매니큐어가 발라진 긴 손톱으로 게장을 꾹 눌러 게살을 보여주었다. 모델들은 간장 게장을 들고 쩝쩝거리며 먹었다. 그들은 간장 게장 맛보다 손에 바른 로션 맛이 난다는 표정이었다. 나는 짠맛이 입안에 맴도는 느낌이 들었다. 간장에 바퀴벌레를 빠뜨려놓으면 죽을까. 사전케이스를 두드려 봤다. 아무런 소리도 들리지 않았다. 휴대폰 벨소리 음량을 키워 사전케이스에 가져다 댔다. 진동 모드로 바꿔 방바닥 가까이 대기도 했다. 불로 태워 죽일까. 어디에서? 나는 아무런 방법도 찾아내지 못했다. 행동으로 옮길만한 방법은 분무용 모기약을 뿌려 기절시킨 후 변기통에 버리자, 였다. 나는 변기통에서 바퀴벌레가 기어 나오는 상상을 했다. 동생에게 전화를 걸었다. 동생은 삼 년째 해충박멸회사에서 일하고 있었다.

"바퀴벌레 산채로 사전케이스로 덮어놨어."

"무슨 종류야?"

"몰라. 내가 그걸 어떻게 아니? 엄지손톱만 한데 이대로 두면 굶어 죽지 않을까?"

"물 없이도 살아. 작은 틈만 있어도 도망가."

"그럼 어떡해. 완벽히 박멸했다고 했잖아."

"옆집에서 넘어왔을 수도 있어. 때려잡아."

"너도 어렸을 때 쥐 무서워했잖아. 난 바퀴벌레가 무섭단 말이야."

나는 얼른 두꺼운 책을 사전케이스 위에 올려놓았다. 방바닥에 얼굴을 가까이 대고 빈틈이 있는지 확인했다. 엄지손톱만 한 바퀴벌레가 나오기에는 아주 좁은 틈이 보일 뿐이었다. 동생과의 대화에서도 그럴듯한 방법은 찾지 못했다. 차창으로 햇빛이 들어와 방을 반으로 나누었다. 작은 먼지들이 떠다니는 것이 보였다. 나는 팔을 내밀어 손바닥으로 먼지들을 휘저어 놓았다. 창문을 열었다. 바람이 먼지를 흩어놓았다. 멀리 고층 빌딩들이 보였다. 언덕에 위치한 우리 집 아래로 낡은 집들이 따닥따닥 붙어있다. 좁은 골목길을 따라 푸른 천막을 지붕 위에 덧씌운 집들과 대문 없는 집들이 층계를 이루고 있었다. 붉은 벽돌이 유난히 눈에 띄는 집도 보였다. 여름이면 똥냄새가 올라와서 월세가 싸요. 변기 물을 내리며 집을 구경하던 내게 주인은 말했다. 재개발 구역으로 지정되었다는 말은 하지 않았다.

휴대폰 액정을 밀어 올렸다. 메인화면으로 설정된 사진이 떴다. 첫 등반 때 휴대폰 카메라로 찍은 것이었다. 안개는 길을 지웠고 나는 앞사람의 신발 뒤축을 보며 걸었다. 앞사람이 안개 속으로 사라지면 나는 뒤를 돌아다봤고 뒷사람이 멈춘 나를 앞질러 갔다. 그렇게 해서 오른 정상에서 찍은 사진은 얼굴만 허공에 둥 떠 있었다. 사진을 볼 때마다 수건을 두른 목이 답답해 보였고 나는 사진을 보면서 무심결에 목을 매만졌다.

산악회 정기모임은 한 달에 한 번 있었다. 만나서 식사하고 다음 등반을 계획하는 순서로 흘러갔다. 정기모임에 나가지 않아도 카페에서 등반 소식을 확인할 수도 있었다. 하지만 모임에 나가지 않으면 그들과 공감할 수 없었다. 카페의 인사 메시지에 리플을 다는 게 고작이기 때문이었다.

한 달 만에 만나는 피터팬은 수척해 보였고 수염이 듬성듬성 나 있었다. 피터팬은 산 사람처럼 보였다. 그는 산을 오를 때면 회원들보다 앞서 뛰어가듯 올라 산 정상에서 손을 흔들어 보이기도 했다. "이건 8자 매듭이야. 꽈배기 같지?" 피터팬은 뭐가 좋은지 혼자 끌끌 웃었다. 피터팬은 8자 매듭을 풀고 피셔맨 매듭을 보여주었다. "내가 젤 좋아하는 매듭이야. 두 줄을 연결할 때 하는 매듭이야." 피터팬은 나와의 첫 술자리에서 피셔맨 매듭을 보여주었던 것을 기억하지 못했다. 여전히 연결이라는 단어에 힘을 주며 말했다. 피셔맨 매듭을 한쪽에 두고 남은 여분으로 당기면 당길수록 단단히 조여지지만 긴 줄을 잡아당기면 쉽게 풀리는 에반스 매듭을 보여주었다. 고리를 여러 번 휘감은 사이로 줄을 빼내어 옭매듭을 했다. 피터팬은 마술을 부리듯 에반스 매듭을 지었다. 몸에 절대로 묶어서는 안 되는 매듭이라고 일러주었다. 피터팬이 긴 줄 쪽을 잡아당기자 쉽게 매듭이 풀렸다. 피셔맨 매듭만을 남겨 두고 피터팬은 흰색 끈을 내게 건넸다. "피셔맨 매듭에는 삶이 담겨 있어." 피터팬은 한 달 전처럼 소주를 한 모금에

들이켰다. “8자 매듭도 지어줘.” 회원들과는 무조건 반말을 해야 하는 것이 회칙이었다. 나이도 사회적인 직책도 상관없었다. 무슨 일을 해왔는지 묻지 않는 것도 반말과 함께 피터팬이 내세운 유일한 회칙이었다. 피터팬은 8자 매듭을 지었다. 나는 피터팬이 준 흰색 끈을 받았다. 공지 사항을 카페에 올리겠다는 피터팬 말을 끝으로 회원들은 서둘러 헤어졌다.

피터팬은 첫 등반 뒤풀이에서 만났다. 어디서 가져왔는지 모를 회색 끈을 남자는 내밀었다. 피셔맨 매듭이야. 두 줄을 연, 결할 때 사용해. 볼이 발갛게 달아오른 남자는 반말을 했다. 연결에 힘을 주어 말을 할 때마다 남자의 입에서 홍시 냄새가 났다. 남자는 소주와 맥주를 섞어 마셨고 식어버린 삼겹살을 입에 넣고 우물거렸다. 나는 피터팬이야. 피터팬 몰라? 나 유명한데. 피터팬은 머리를 긁적였다. 어려운 일이 있으면 뭐든 말해. 어? 아! 그리고 당겨봐. 당길수록 더 단단해져. 피터팬은 소주를 입에 털어 넣듯 마셨다. 산악동호회 초기 회원 중 한 사람이라고 적힌 글을 카페에서 본 적이 있었다. 그들은 개설일과 첫 등반 사진을 대문에 올려놓았고 앨범메뉴에 올려진 등반 사진마다 피터팬이라는 아이디로 리플이 달린 것을 여러 번 봤었다. 뭐든 얘기해. 내가 다 해결해 줄 테니. 당신이 가제트야? 나는 속으로 피터팬에게 말했다. 피셔맨인지 피터팬인지 순식간에 지은 매듭 순서를 나는 기억해내지 못했다. 젓가락으로 우동면발을 돌돌 말은 듯한 모양 속에 교묘하게 매듭이 지어져 있었다. 옭매듭을 야무지게 매던 피터팬은 하늘을 날 준비를 하는 것처럼 보였다.

지하철은 한산했고 나는 고개를 젖히고 졸고 있는 아주머니 옆자리에 앉았다. 첫 등반 때 피터팬이 준 회색과 흰색 끈을 주머니 속에서 만지작거렸다. 나는 흰색 끈을 꺼내 8자 매듭을 지었다. 두 줄을 연결해 되감는 매듭이었다. 두 줄을 8자 모양으로 엇갈리게 연결시켰다. 옭매듭이 단단히 묶여있어도 큰 충격을 받으면 쉽게 풀 수 있다고 카페에서 읽은 적이 있었다. 8자 모양을 만들고 반대편 끈을 교차시켜 8자 모양을 만드는 순간 끈은 꽈배기처럼 꼬여 버렸다. 옆에 앉은 아주머니는 졸다 말고 매듭을 짓는 내 손을 봤다. 앞에 서 있던 남자는 내가 고개를 들자 창으로 시선을 옮겼다. 웃음을 참는 소리가 들렸다. 집까지는 다섯 정거장이 남아 있었다. 8자 매듭을 풀어 그 자리에 똑같이 8자 매듭을 지었다. 피터팬이 지었던 매듭보다 어딘가 모르게 모양새가 우스웠다. 8자 매듭을 풀고 피셔맨 매듭까지 마저 풀었다. 피셔맨 매듭을 푼 자리는 끈이 둘둘 말려 아무리 잡아당겨도 라면 면발처럼 꼬불꼬불했다.

어디선가 웃는 소리가 들렸다. 앞에 서 있던 남자는 혼자 킥킥거리며 웃고 있었다. 남자의 구두코는 지저분했고 바짓가랑이에는 흙탕물이 점점이 튀어 있었다. 고개를 들자 앞에 서 있던 남자가 웃음소리를 참으려는 듯 손으로 입을 가렸다.

"야 삐쟁이. 너 혼자 노는 건 여전하네."

나는 눈을 동그랗게 뜨고 남자의 얼굴을 올려다봤다. 콧등에 난 점이 낯익었다.

"누구……."

"날 몰라? 나 날아다니는 다리!"

나는 남자를 정신 나간 사람쯤으로 바라봤다.

"너 나랑 중학교 때 모나미 볼펜 안에다 쪽지 넣어서 주고받고 놀았잖아."

남자의 콧등에 난 점이 점점 커지는 상상을 했다. 나는 중학교를 마치고 이사를 하였기 때문에 모든 것을 잊고 지냈다. 그러나 몇 년이 지났는데도 날 알아본 사람을 모른 척 지나칠 수 없었다.

"어… 생각나. 뭐 하고 살아?"

남자는 얼굴이 굳어졌다. 인사만 건네면 될 것을 뭐 하고 살았는지가 왜 묻고 싶었을까. 나는 흙탕물을 얼굴에 뒤집어쓴 기분이었다. 정오가 지난 시간에 지저분한 신발을 신고 서류 가방을 든 남자에게 뭐하며 먹고 살아, 라는 질문은 분위기를 어색하게 만들기 충분했다.

"다 똑같지 뭐. 근데 아직도 삐진 거 아니지?"

나는 눈을 동그랗게 뜨며 내가 왜 삐져, 라는 표정을 지어 보였다.

"내가 너 발로 등 찼잖아. 기억 안 나? 너 화나면 완전 얼음 같았어."

남자는 표정을 금세 바꿔 말하며 킥킥 웃었다.

"내가 잘 삐졌어? 난… 그런 적 없는 것 같은데… 그때 내 등 찼던 아이, 국어사전 아니었어? 나 그 뒤로 국어사전이랑 말도 안 했거든……."

"걔 아니고 난데. 너 이사 가버리고 지금까지 오른발만 봐도 너한테 미안했어."

나는 국어사전을 항상 옆구리에 끼고 다니던 아이라고 지금껏 믿어왔다. 나는 교실에서 싸우던 애들에게 조용히 해!, 라고 말했고 누군가 내 등을 발로 차 순간 숨이 멈췄던 일이 있었다. 숨을 고르고 나서 일어섰을 때 국어사전이 나를 째려보고 있었다. 그 후로 국어사전과 한마디도 나누지 않았다. 국어사전을 펼쳐 단어 찾기 놀이도 하지 않게 되었다. 이제 와서 어쩌란 말인가. 이미 지나버린 일이었고 나는 그 일이 있고 난 뒤로 뚜렷한 주장을 내세우지 못하는 아이로 자랐다. 남자의 셔츠 소맷부리에서 실이 풀린 단추 하나가 매달려 있었다.

"나 여기서 내리는데. 여기 앉…을래?"

나는 일어서며 말끝을 흐렸다. 남자는 여전히 실실 웃으며 따뜻하다고 말했다.

"다음에 또 만나."

남자는 새 신발을 산 아이처럼 웃었다. 전철에서 내려서는 내게 남자는 뒤돌아 손을 흔들었다. 나는 주머니에서 손을 꺼내지 못하고 피셔맨 매듭을 만지작거렸다. 언제 또 만나자는 것인지 알 수 없었다. 끝내 나는 남자를 기억해내지 못했다.

나는 피셔맨 매듭이 되어있는 흰색 끈을 피터팬에게 건넸다. 피터팬은 흰색 끈을 멍하니 내려 보다가 그제야 나를 떠올리는 듯 보였다. 피터팬은 한 달에 한 번 공식등반을 했다. 나오고 싶은 사람 마음. 피터팬은 회원 모두 참석 바람이란 문구는 카페에 올리지 않았다. 매번 나오고 싶은 사람 마음이었다. 그래서인지 약속 장소에 모인 회원들은 겨우 한번 카페에서 봤을 뿐인 닉네임이 많았다. 몇 번 보았다고 해서 굳이 친분을 쌓거나 서로의 안부를 묻는 일은 없었다. 마음에 담긴 이야기들을 쏟아내지 않고도 회원들은 적당한 관계를 유지했고 가족 같았다. 그들은 서로의 별명을 말하고 인사를 나눈 뒤 각자가 챙겨온 오이나 초콜릿 조각을 나누어 줬다. 나는 알지 못하는 사람과 쉽게 다가서지 못했다. 그렇게 치면 내게 첫 등반이었던 뒤풀이 자리에서 피터팬은 많은 것을 내게 요구한 것이었다. '뭐든 얘기해.' 나는 피터팬과 눈인사를 나눴다.

산을 오를 때 그들의 얼굴에는 보이지 않는 얼룩이 표정에 그려졌다. 그들은 앞사람의 가방을 보거나 앞서 걷는 사람의 신발 뒤축을 봤다. 피터팬은 뒤처지는 회원이 없는지 자꾸 뒤를 돌아다봤다. 나는 흙에 반쯤 묻힌 도토리 꼭지나 썩어가는 나뭇잎을 내려다보며 걸었다.

누군가 밟아 부러진 나뭇가지가 흙에 반쯤 박혀 있었다. 숲은 온통 젖어 있었고 축축한 흙 위로 앞서간 사람들의 신발 바닥 무늬가 어지럽게 찍혀 있었다. 숲은 배란기를 맞은 처녀 같았다. 보드라운 살결과 습기를 머금은 듯한 촉촉한 눈빛의 소녀. 나는 산을 오를 때면 늘 이러한 생각에 잠겼다.

나보다 열 살이나 많아 보이는 피터팬은 점점 뒤로 밀려나는 내 어깨를 툭 쳤다. 나는 깜짝 놀라 피터팬을 올려다봤다. “비가 쏟아질 것 같아.” 날씨가 흐렸다. 일기예보를 무시한 등반이었다. 피터팬은 나오고 싶은 사람 마음이랬잖아, 라는 표정을 지었다. 피터팬은 회원들보다 뒤처진 내 뒤로 갔다. 나는 목덜미가 쭈뼛거렸다. 산 정상에 다다르기 전 피터팬은 회원들이 쉴만한 장소로 갔다. 산을 오를수록 안개가 짙어졌고 바람이 차가웠다. 회원들은 축축한 머리카락을 쓸어 넘겼고 떨떠름한 오이를 씹어 먹었다. 피터팬은 내게 다가와 초콜릿 두 조각을 손바닥에 쥐여줬다. “고개 하나만 더

넘으면 돼. 오를 땐 땅만 보이지만 정상에 서면 다르다는 거 알지? 다들 힘내." 피터팬은 먹다 남은 오이를 비닐에 말아 가방에 넣었다. 그때 가방에서 휴대폰이 울렸다.

"바퀴벌레는?"

"나 지금 산이야."

휴대폰에서 지지직소리가 났다.

"잘 안 들려. 직원 보낼까?"

"나아 산이야아. 며칠 동안 상자 안에 있어. 괜찮아."

동생은 말이 없었고 통화가 끊어졌다. 먼저 올라간 회원들은 안개 속에 휩싸여 상체만 둥둥 떠다니는 것처럼 보였다. 산허리를 두른 안개 사이로 사람들은 나타났다가 사라졌다. 산들은 병풍을 펼친 듯 보이지 않는 간격을 두고 솟아있었다. "안개가 바람개비에게는 보여주기를 허락하지 않나 봐." 피터팬은 내 왼편에 서서 숨을 크게 몰아쉬었다. "피터팬은 봤…어?" 나는 말끝을 흐렸다. 바람이 피터팬의 앞머리를 쓸어 넘겼다. 피터팬의 이마에는 갈매기 모양의 작은 흉터가 나 있었다. 피터팬을 생각하면 갈매기 모양이 먼저 떠오를 것 같았다. 작은 흉터가 없었다면 눈썹이 갈매기 같다고 생각했을 것이다. “앞을 봐. 바람개비는 왼편 얼굴이 예뻐. 난 봤지.” “엉뚱해. 저기…갈매기 홍터는 뭐에…뭐야?” 피터팬은 흡, 웃었다. “아버지가 던진 밥그릇.” 피터팬은 먼 곳을 바라보고 있었고 나는 그의 눈빛이 서글퍼 보였다. 더 이상 물을 수 없었다.

안개 사이로 사람들이 산에서 내려가는 모습이 멀리 보였다. 사람들은 작은 벌레 같았다. 회원 몇몇은 안개를 배경으로 사진을 찍었고 땅에 주저앉아 생각에 잠긴 사람도 보였다. 땀이 식자 등줄기가 서늘해지는 것이 느껴졌다. 산은 내게 많은 것을 보여주지 않았다. 안개는 길을 지웠다. 우리는 올라왔을 때처럼 누군가의 신발 뒤축을 보며 걸었다. 엇박자로 걷다 그만 피터팬의 신발 뒤축을 밟고 말았다. 하마터면 고꾸라질 뻔한 피터팬은 자주 뒤를 돌아다봤다. 나는 피터팬의 걸음에 맞춰 걷느라 발끝만 노려봤다.

안경과 끈 두 개를 자판에 올려놓았다. 스위치를 끄고 방바닥을 살폈다. 작은 흑점이 눈을 깜빡일 때마다 나타났다가 사라지기를 반복하는 것 같았다. 사전케이스 안에 갇힌 바퀴벌레는 틈이 없으니 빠져나가기 힘들 것이다. 나는 이불 속으로 들어가 반듯이 누웠다. 동생은 한 달 전 두 차례에 걸쳐 바퀴벌레를 박멸시켰다. 멸종위기에 처했을걸. 동생은 싱크대에서 손을 씻으며 말했다. 하루에도 스무 마리를 휴지에 싸서 변기에 버렸었다. 동생이 가고 난 후에 바퀴벌레 수는 순식간에 줄었다. 하지만 천장과 방바닥의 네 귀퉁이를 살펴보는 버릇은 여전했다. 어둠에 익숙해지자 벽지에 새겨진 나뭇잎 무늬가 도드라져 보였다. 천장을 바라보면 기억들은 풍선처럼 부풀어 올랐다.

누나, 그만해! 나는 노랗게 번진 천장 귀퉁이에 인형을 던지며 놀고 있었다. 놀란 쥐들은 이리저리 뛰어다녔다. 달리기 시합, 땡! 칠판에 손톱을 그었을 때 나는 소리가 합판에서 들렸다. 나는 쥐똥에 발이 미끄러진 쥐들의 달리는 모습을 상상하며 킥킥, 웃었다. 쥐가 탈출하려고 매일 밤 오줌을 눠서 노랗게 된 걸 거야. 자다가 쥐들이 얼굴을 덮치면 어떡해. 동생은 울상이 되었다. 다섯 마리가 동시에 오줌을 누면 구멍이 뚫릴까? 나는 지붕 위에 사는 쥐들은 세 마리라고 말했다. 동생은 내 대답에 대꾸하지 않았고 이불 속에 웅크리며 주먹을 힘껏 쥐었다. 겁이 많던 동생이 해충박멸회사 직원이 될 줄은 미처 상상하지 못했다.

남자는 두려움을 피해서는 안 된다. 아버지는 창고에서 꺼낸 지푸라기 뭉치를 한여름 땡볕이 달궈놓은 마당 흙 위에 던지며 동생에게 말했다. 꺼내서 밟아라. 동생은 지푸라기를 가만히 헤쳤다. 눈도 뜨지 못한 새끼 쥐 세 마리가 고물고물 움직였다. 아버지는 쥐 한 마리를 밟아 흙으로 덮었다. 해봐. 동생은 울상이 되었다. 그날 동생은 저녁에 먹은 것들을 게워냈고 나는 동생이 밟아 흙에 묻힌 쥐가 마당 어디쯤 있는가를 생각하며 잠을 이루지 못했다. 그 후로 동생은 인형을 천장에 던지며 놀았고 나는 동생의 웃음소리가 무서웠다. 그때부터 천장을 바라보면 생각이 많아졌다.

이불속에서 두 팔로 무릎을 감싸 가슴으로 끌어당겼다. 던진 밥그릇… 아버지가 던진. 나는 작게 중얼거렸다. 나는 천장을 바라보며 8자 매듭과 피셔맨 매듭을 생각했다. 매듭짓는 순서가 뒤엉키면서 피터팬의 손이 떠올랐다가 남자의 지저분했던 구두코가 생각났다. 남자는 오늘 만난 나를 어떻게 떠올릴지 궁금해졌다. 고개를 저었다. 다시 8자와 피셔맨 매듭을 풀었다 짓기를 반복하는 상상을 했다. 그때 천장으로 빠르게 바퀴벌레가 지나가는 것 같았다. 나는 컴퓨터 자판을 더듬어 안경을 찾았다. 안경을 두는 곳은 자판 위, 매번 같은 자리였다. 피셔맨 매듭이 지어진 회색 끈이 안경과 함께 바닥으로 떨어졌다. 천장에는 아무것도 없었다. 내가 안경을 쓴 사이 도망친 것일 수도 있었다. 나는 의식이 흐릿해질 때까지 피셔맨 매듭을 풀었다 짓기를 반복했다.

나는 주춤주춤 할아버지 옆에 가 앉았다. 피터팬은 두 달 만에 공식 모임 공지를 카페에 띄웠다. 피터팬에게 한 달간 무슨 일이 있었던 걸까. 한 달 동안 피터팬은 리플도 달지 않았으며 새롭게 가입한 회원들 등급도 업그레이드하지 않았다. 카페 대문은 색종이로 만든 바람개비를 찍은 사진으로 꾸며져 있었다. 피터팬은 내게 쪽지를 보내왔다. 있을 수 없는 일이었다. 피터팬은 지나간 일들을 꺼내놓거나 사소한 일들로 마음이 흐트러지는 것을 싫어하는 사람이었다. 술에 취하지 않는다면 피터팬은 과묵했다. 그에게는 휴대폰이 없었다. 늘 무언가를 수첩에 기록했고 시선은 먼 곳으로 향해 있었다. 웃는 법이 없는 피터팬이 아주 가끔 입술을 다문 채 웃을 때면, 누군가의 무릎을 베개 삼아 늦봄의 햇살을 이마에 받고 있다는 느낌이었다. 피터팬은 왼편 뺨을 간지럽게 하는 바람 같았다. 바람을 맞고 서 있었나요. 그대 환영. 오래전 내가 남긴 카페 가입 인사말에 피터팬이 남긴 댓글이 생각났다. 유일하게 피터팬이 내게 반말을 하지 않은 글이었다.

지하철 안은 듬성듬성 앉은 사람들이 제각각 표정을 달리한 채 졸거나 신문을 읽고 있었다. 문이 닫히고 전철이 서서히 출발하기 시작했다. 머리카락 속에서 풍겨오는 살냄새가 할아버지에게서 맡아졌다. 할아버지의 어깨에는 비듬이 점점이 떨어져 있었다. 귀밑에 작게 돋은 점이 보였다. 그때 남자가 떠올랐다. 같은 일을 두고 기억하는 모습들이 서로 달랐던 남자. 어딘지 익숙한 콧등의 점만이 남자를 기억하게 하는 단서로 남아 있을 뿐이었다. 지나간 시간을 기억하는 모습들은 달랐다. 나를 잘 삐지는 아이로 기억했던 남자와 내 등을 찬 사람을 국어사전으로 기억했던 나. 지나가버린 시간은 다 어디로 흘러갔을까. 남자는 풀린 실을 단단히 조여 맸을까. 어깨에 떨어진 비듬을 털어주고 싶었다. 남자가 내 등을 발로 찼다는 사실은 시간이 지난 뒤로 중요치 않게 돼버렸다. 국어사전을 오해한 나는 졸업식이 끝날 때까지 한마디도 나누지 않게 되었고 먼 타인이 된 지 오래였다. 나는 할아버지의 살냄새를 맡으며 주머니에 넣어 두었던 끈을 꺼내 피셔맨 매듭을 지었다가 풀기를 반복하며 생각했다.

약속 장소는 호프집이었다. 피터팬의 눈이 붉었다. 당신의 한 달은 어디로 갔었냐고 묻고 싶었지만 그럴 수 없었다. “다른…사람은…….” “바람개비에게만 보냈어.” “모임도 아닌데 반말을 꼭 지켜야 하나요?” 나는 신경질적으로 피터팬에게 말했다. 단둘이 만날 이유는 없었다. 만나는 것 자체가 모든 것을 헝클어 놓는 기분이었다. 피터팬 생각으로 가득 찬 내 일상이 떠올랐다. 그렇지만 앞으로 피터팬에게 지어 보여야 할 어색한 표정들이 마음을 흩어놓았다. 거품이 묻은 손으로 발가락 위로 떨어진 바퀴벌레를 어쩌지 못하는, 눈 속에 눈썹이 들어갔을 때처럼 무방비 상태, 그 어쩔 수 없는 순간들로 인해 일상이 변하는 것이 나는 두려웠다. “피셔맨 매듭은 연습했나. 삶이 담겨 있다고 내가 말했었지. 바람개비도 그렇게 생각해?” 피터팬은 아귀가 맞지 않는 말들을 혼자 중얼거렸고 비틀거리며 화장실을 다녀왔다. "쪽지 보낸 이유가 뭔가…요?" "반말해. 피셔맨 매듭 외웠냐고. 암벽등반 언젠간 해야지." 피터팬은 물을 들이켜듯 맥주를 마셨다. "취했어. 끊긴 필름은 어디에 보관하려고 또 피셔맨 매듭 타령이야." 나는 피터팬을 달래듯 말했다. 취해가는 사람에게 무얼 얘기해야 할까. 내일이면 피터팬은 기억하지 못할 텐데.

아버지에 대한 유일한 기억은 열한 살 때라고 피터팬은 힘없는 목소리로 말했다. 식목일에 피터팬은 아버지와 뒷산을 올랐다. 짧은 머리카락을 땀으로 감아버린 피터팬은 정상을 눈앞에 두고 주저앉아 버렸다. 머리카락을 털고 있는 피터팬에게 힘드냐? 그래도 산은 거짓말을 하지 않는다고 아버지는 뜬금없는 말을 했다. 거짓말쟁이. 피터팬은 아버지를 째려보았고 아버지는 다시 산을 오르기 시작했다. 정상에 다다랐을 때쯤 야호를 외치는 사람들 틈에서 빠져나와 바위에 앉는 아버지가 보였다. 언제나 떳떳하지 못하면서……. 피터팬은 이마에 흐르는 땀을 손등으로 닦았다.

오밀조밀하게 모인 집들은 저수지를 옆구리에 끼고 있었다. 지금껏 한 번도 가까이 가지 않았던 저수지에서 조금 떨어진 빈집의 감나무에 매달린 몇 개의 감이 보였다. 빈집은 곧 허물어질 것이다. 저수지 주변에서 낚시하는 아이들이 움직이는 것이 보였다. 땀이 마르면서 바람이 차갑다는 생각을 피터팬은 했다. 아버지는 마을을 내려다보고 있는 것인지 고개를 숙이고 있는 것인지 알 수 없었다. 엄마를 때릴 때의 독기 어린 눈은 사늘하게 풀려 있었다. 하지만 피터팬은 아버지가 한 모든 말은 믿지 않았다고 말했다. "내일 산에 갈 생각… 있나?" 피터팬의 눈은 정상에 올라 발아래 펼쳐진 작은 마을의 집들을 헤아리는 눈빛이었다. 피터팬의 눈은 젖어 있었다. 피터팬은 튼 입술을 물어뜯었다. 피터팬은 술에서 깨어나면 무언가를 잃은 듯 후회할지 몰랐다. 내게 무엇을 얼마만큼 말했는지 고민하며 나를 대하는 표정을 달리할지도 몰랐다. 피터팬이 내게 한 말들은 지금 다 어디로 가버리는 것일까. 내게 담아진 그의 말들은 어떤 형태로 내게 남을까. 나는 이러한 것들을 생각하고 있었다.

피터팬은 중얼거리듯 말을 계속 이어갔다. "바람개비는 알까. 바람난 여자에게서 나는 냄새 말이야. 단단히 묶어 놓은 매듭은 오래되면 잘 풀리지 않아. 자를 수 있을 뿐. 하지만 사람과는 쉽게 자를 수가 없잖아. 안

그래? 어떻게 그렇게 쉽게 변하지…….” 피터팬은 알 수 없는 말들을 늘어놓았다. 피터팬의 주머니에서 빠진 차 열쇠를 대리운전사에게 건네기 전까지 피터팬은 엄마와 아버지, 그 어느 곳에도 속할 수 없었고 끝내 소속감 없는 자신이 아내마저 바람에게 빼앗겼다고 말했다. 나는 피터팬의 말들이 귓가에 스치는 바람결 같았다.

아버지가 던진… 밥그릇. 천장에 화석처럼 새겨진 금색 나뭇잎이 어둠 속에서 번뜩였다. 창으로 새어들어온 가로등 불빛으로 나뭇잎이 선명하게 보였다. 나는 자판 위에 올려놓았던 흰색 끈을 가져와 이불 속에서 피셔맨 매듭을 풀었다. 라면 면발처럼 구불구불했다. 끈을 당겨 곧게 펴봤다. 피셔맨 매듭의 흔적이 고스란히 끈에 남아 있었다. 피터팬이 피셔맨 매듭을 좋아한 이유가 두 줄을 연결하기 때문인지 두 줄에 남은 흔적인지 나는 알 수 없었다.

끈을 자판 위에 올려두고 스위치를 켰다. 쉽게 잠을 이룰 수 없었다. 어둠에 익숙해져 있던 나는 형광등 불빛이 깜박이며 켜지자 순간 눈이 컴컴해지는 것 같았다. 환한 방바닥을 보자 잠시 어지러웠다. 사전케이스 위에 올려놓았던 책을 치우고 방바닥 가까이 뺨을 가져다 댔다. 장판이 운 자리에 작은 틈이 보였다. 하지만 그 작은 틈으로는 엄지손톱만 한 바퀴벌레가 도망갈 수 없을 것이다.

서둘러 화장지를 준비했고 신문지를 말아 쥐었다. 날아오르거나 재빠르게 구석으로 도망치는 것을 늦추기 위한 분무용 모기약도 준비해두었다. 동생이 주고 간 젤 타입의 약을 억지로 바퀴벌레에게 먹일 수도 없는 노릇이었다. 사전케이스를 단번에 열어젖혀야 했다. 나는 사전케이스를 들고 모기약을 사정없이 뿌렸다. 방바닥이 반들거렸다. 바퀴벌레는 없었다. 레몬 향이 첨가된 모기약 냄새 때문에 잔기침이 나왔다.

장판에는 무언가에 검게 탄 흔적이 보였다. 전에 살던 사람이 남겨 놓은 담뱃불 자국 같았다. 그것은 엄지손톱 크기만큼 검게 타 있었다. 작은 틈으로 바퀴벌레는 빠져나간 것일까. 믿을 수 없었다. 담뱃불 자국을 바퀴벌레로 착각했던 것일까. 바퀴벌레를 봤을 때 안경을 쓰지 않았었나. 화장실 타일에 붙어있던 여러 마리의 바퀴벌레가 불빛에 놀라 도망가는 것이 떠올랐다.

경계를 늦추려면 바퀴벌레가 나타났다. 어쩜 기억은 작은 틈, 그 조그만 사이로 스르륵 빠져나가 제멋대로 추억되어 때 없이 떠오르는 것이 아닐까. 피터팬은 이마에 난 갈매기 흉터를 볼 때마다 아버지를 떠올렸을지도 몰랐다.

피터팬은 쉬지 않고 올라갔다. 젖은 흙 위로 피터팬의 발자국이 작은 길을 만들었다. 숨이 찼다. 피터팬의 발걸음이 빨라 나는 뛰고 걷기를 반복했다. 피터팬은 한마디도 하지 않았다. 술에 취해 내게 했던 말들을 기억하고 있는 것일까. 숲길 위쪽에서 산산한 바람이 불어와 코끝이 차가워졌다. 바람이 나뭇가지를 흔들어 빛줄기를 흩어놓았다. 피터팬은 빛줄기를 피하듯 그늘로 다녔고 가끔 마른 나뭇가지를 꺾어 버렸다. 매듭은 오래되면 잘 풀리지 않아. 자를 수 있을 뿐. 하지만 사람과는 쉽게 자를 수가 없잖아. 나는 술에 취해 중얼거리던 피터팬의 말이 떠올랐다. 착각일지도 모르잖아, 피터팬. 담뱃불 자국을 바퀴벌레로 착각하는 것처럼 말이야. 마음속에서 피터팬을 향한 말들이 맴돌았다. 나는 피터팬이 꺾어 버린 마른 나뭇가지를 주웠다. 마른 듯 보였지만 나뭇가지 속에는 아직 물기가 있었다.

빠르게 흘러가는 구름 사이로 빛줄기가 보였다. 구름이 지나가는 동안 빛줄기를 가두었다. 산 정상에는 바위에 앉아 산 아래를 내려다보는 사람 몇이 보일 뿐이었다. 나는 손바닥을 모아 차가워진 코끝에 입김을 불어 넣었다. 전처럼 피터팬은 가방에서 초콜릿을 꺼내 조각을 내어 내 손바닥에 두 조각을 내려놓았다. 피터팬의 입술은 터 있었고 보랏빛으로 변해 있었다. “저기 봐. 작은 저수지도 있고 우리가 올라왔던 길도 보이고. 어때?” 피터팬은 조목조목 가리키며 말했다. “여기에서는 비행기 소리도 크게 들려?” 피터팬은 고개를 돌려 내 왼편 얼굴을 쳐다봤다. “비행기가 다 잡아갈 거야. 피터팬, 걱정하지 마.” 피터팬은 초콜릿 조각 하나를 입 안에 넣고 우물거렸다.

마을 뒷산 너머에는 공군기지가 있었다. 엄마는 내가 징징대며 말을 듣지 않을 때면 비행기가 잡아간다고 겁을 주었다. 일을 나간 엄마를 기다리다 지쳐 잠이 들었다가도 전투기 소리에 놀라 잠에서 깬 적도 많았다고 나는 피터팬에게 말했다. “안개가 보여주지 않았던 것들이 보이잖아. 바람도 분다, 바람개비” 피터팬은 장난스럽게 말했다. “비행기가 잡아간다고.” 피터팬은 흡, 웃었다. 나는 피터팬이 가슴 가까이 다가와 있는 것 같았다. “그럼 나 사라질지도 몰라.” 피터팬과 나는 소리 내 웃었다.

집마다 대문을 굳게 잠그고 불을 끄는 시간은 이른 저녁 시간이었다. 그들은 해가 지면 잠자리에 들고 해가 뜨면 눈을 떴다. 채소를 심을 땅은 원룸이 들어섰고 화분에 상추나 파를 심는 것으로 그들은 만족했다. 얼마 있지 않으면 이곳도 곧 헐릴 것이다. 큰길 너머와 달리 몇 개의 십자가만이 허공에 떠 있었다. 큰길을 사이에 두고 고층 빌딩들과 재개발구역으로 지정된 마을이 떨어져 있었다. 큰길 너머 멀리 색색의 네온사인이 깜박였다. 나는 자판 위에 놓여있던 흰색과 회색 끈을 집어 반듯하게 폈다. 흰색 줄로 고리를 만들고 그사이에 회색 끈을 넣어 흰색과 반대로 고리를 만들어 잡아당겼다. 세 번을 반복해 매듭을 짓고 옭매듭을 했다. 나는 피터팬에게 매듭을 보여주고 싶었다.

피터팬은 정류장과 정류장 사이에 붉은 벽돌로 된 집에서 자랐다고 했다. 피터팬은 윗마을 아이들과 아랫

마을 아이들 속에 끼지 못한 채 지냈다. 윗마을 정류장으로 가면 친구들은 왜 왔느냐, 여기가 더 가깝냐는 말을 건넸다고 했다. 어느 곳에도 소속되지 못한 것은 부모의 별거로 이어졌다. 엄마는 멍든 눈을 감추며 집을 나갔다. 피터팬이 아무도 믿을 수 없을 것 같았을 때 아버지의 말이 떠올랐다고 한다. 산은 거짓말을 하지 않는다고. 그때부터 피터팬은 말수가 줄었고 산을 오르기 시작했다.

아내는 연락을 걸어온 첫사랑에게 마음이 빼앗겨 일 년 넘게 첫사랑을 만났다. 향수의 수가 늘어나거나 국에서 로션 맛이 났을 때 아내에게서 이상한 바람 냄새가 났었다고 피터팬은 말했다.

나는 두 눈을 감았다. 피터팬이 마술을 부리듯 짓던 피셔맨 매듭 순서가 희미하게 떠올랐다. 산을 오를 때는 땅과 앞사람의 뒤꿈치만 보이더니 내려올 때는 길이 보였어. 바람개비는 보여? 산에서 내려가며 피터팬이 했던 말이 생각났다. 나는 안경을 벗어 자판 위에 내려놓고 스위치를 껐다. 형광등이 깜빡거리며 순간 방안이 어두워졌다. 시선을 옮길 때마다 작은 흑점이 따라다녔다. 어둠에 익숙해지자 금색으로 프린트된 나뭇잎이 도드라져 보였다. 나는 어둠 속에서 자꾸 담뱃불 자국을 손가락으로 문질렀다.

레몬타임

레몬타임

검지 손톱이 짧다. 끝이 거칠게 두 겹으로 뜯긴 손톱이 살갗에 닿아 있다. 브래지어 후크에 찔려 찢어진 살갗이 붉다. 두 겹으로 갈라진 손톱이 살갗을 간신히 붙잡고 있는 것 같다. 나는 엄지손톱으로 살갗을 당긴다. 찢어진 살갗이 종이에 베인 것처럼 쓰라리다. 틈새가 보인다. 틈새는 레몬타임 잎을 누를 때 보았던 눈썹달과 닮아있다. 나는 열 손가락을 펴 손톱을 내려다본다. 검지 손톱은 성장을 멈춘 어린아이를 닮아있다. 검지를 오므리며 엄지손가락으로 감싼다.

책상 위에 놓인 레몬타임이 말라 있다. 말라버린 잎들이 젖은 빨래 마냥 축 처져 있고 줄기는 직각을 유

지하고 있다. 나는 책상 앞으로 걸어가 화분을 내려다본다. 흙이 깊숙이 패어 있고 작은 틈 하나가 벌어져 있다. 나는 컵에 물을 담아 틈 사이에 붓는다. 화분에 귀를 가까이 가져다 댄다. "찌르륵." 바싹 마른 마당에 물을 주었을 때 나는 소리다. 나는 고개를 들고 손목시계를 내려다본다. 두 시를 향해 시침이 움직이고 있다. 남자를 만나기로 한 시간은 네 시다.

나는 파란풍차에 간다. 2층 벽면에 풍차가 그려진 건물이다. 명과 처음으로 갔던 커피숍이다. 나는 두 사람이 오르기도 비좁은 계단을 오른다. 자동문이 보인다. "스르륵." 주위를 둘러본다. 화분에 심어진 레몬타임이 테이블마다 놓여 있다. 나는 창가 쪽으로 걸어가 의자에 앉는다. 메뉴판을 접으며 오렌지브랜드코냑을 주문한다. 남자는 아직 도착하지 않았다. 주위를 둘러보니 커플들이 의자에 몸을 파묻은 채 킥킥거리고 있다. 사람들은 파키라 나뭇잎 사이로 명과 나를 가끔 흘겨보았다. 그들과 눈이 마주칠 때면 나는 싸움에서 진 아이가 그러하듯 고개를 숙였다. 파키라 나무는 그들을 지키는 경호원 같았다. 앞 테이블에 앉은 남녀는 귓속말을 나누며 킥킥거린다. 나도 한때 저들처럼 파키라 화분 뒤에 숨어 웃음을 흘리던 때가 있었다.

"이 화분 진짜일까?"

나는 담배를 자주 피워 핏기를 잃은 명의 보랏빛 입술을 바라보며 말했다.

"진짜겠지. 레몬타임 같은데."

창문으로 쏟아지는 햇살에 반사되어 연둣빛 잎이 선명하게 보였다. 나는 손톱으로 레몬타임 잎 하나를 꾹 눌러 보았다. 눈썹달 모양이 잎에 선명히 찍혔다. 순간 손톱 사이와 눈썹달 모양의 틈새에서 레몬향이 맡아졌다.

"진짜였네!"

"그걸 꼭 눌러봐야 알겠어?"

명은 어깨에 닿아 있는 내 머리칼을 쓸어주며 말했다. 나는 상기된 볼을 손바닥으로 쓸어내리며 수줍게 치아를 드러냈다. 그때 파키라 나무는 나를 유치하게 생각했을까. 저들을 바라보는 지금의 나처럼 말이다.

남자는 한 시간이 넘도록 나타나지 않는다. 나는 오렌지브랜드코냑을 입술에 가져다 댄다. 잔 둘레에 묻은 설탕 알갱이가 입술에 닿아 까끌까끌했다. 코끝으로 오렌지 향기가 전해지고 잔 아래 웅크리고 있던 코냑이 크림과 섞여 와락 입안으로 달려들어온다. 머리가 어지럽다. 식도에서 입으로 코냑이 소용돌이치며 올라온다. 굶주린 위벽을 쓱쓱 쓸어내리는 듯하다. 손목시계의 바늘이 여섯 시를 향해 움직이고 있다.

남자를 처음으로 만난 것은 명랑 비디오방에서였다. 남자는 하루도 빠짐없이 밤 열 시가 되면 명랑 비디오방에 왔다. 남자가 주로 보는 영화는 멜로물이었다. 열 시부터 두 시까지 두 편의 비디오를 연속으로 보고 갔다. 나는 그런 남자와 눈인사를 나눌 만큼 남자의 얼굴에 익숙해져 갔다.

"오늘은 눈이 커 보이네요. 눈 화장을 잘한 것 같아요."

어느 날부터 남자는 관심 어린 말로 인사를 건네기 시작했다. 그런 날은 온종일 거울을 들여다보며 눈을 크게 뜨고 나를 흘겨보았다.

남자는 이십 대 후반쯤으로 보였다. 속눈썹이 유난히 길었다. 비디오를 꺼내 드는 남자의 가늘고 하얀 손을 자꾸만 어루만지고 싶었다. 남자는 어느 날 내게 낮고

굵은 목소리로 말했다. 왜 이런 곳에서 일하느냐고. 남자의 비에 젖은 듯한 저음이 좋았다. 나는 명랑이라는 단어가 좋다고 둘러댔다.

나는 회사를 그만두고 공무원 시험에 일 년 동안 매달려 있었다. 회사에 다닐 때는 월요일이 가장 싫었다. 똑같은 얼굴과 마주 앉아서 하기 싫은 일을 종일 해야 했다. 피곤해진 얼굴에는 각질이 일어나 파우더가 하얗게 떴다. 아침마다 화장하는 시간이 길어졌다. 월요일은 기다리는 버스도 제시간에 오지 않았다. 결혼한 직장 언니들은 하나둘 회사를 그만두었다.

"결혼했다고 방에 들어앉아 살림만 할 수 없어"라고 결혼식장에서 카메라에 얼굴이 찍힐 때마다 속으로 중얼거렸다. 여자 혼자서도 삶이 흔들리지 않을 만한 기반이 필요했다. 내가 선택한 것은 공무원이 되는 거였다.

회사를 그만두던 날 초밥을 먹으러 갔다. 미스롤에서 먹은 초밥은 새우와 밥 사이에 고추냉이가 듬뿍 들어 있었다. 새우등에 겨자소스를 찍어 입 안에 넣고 세 번을 씹으면 눈물이 핑 돌았다. 그러나 경험 삼아 본 공무원 시험은 엉망이었다. 한 과목이 끝날 때마다 뜯긴 머리카락들이 책상 위에 떨어졌다. 고사장에 남은 건 푸석한 머리카락들뿐이었다. 가스비가 밀리기 시작했고 석 달이 되자 독촉장이 날아왔다. 삶에서 경고장을 받는다는 것은 고달픈 거였다. 그때부터 시작한 아르바이트였다.

밤 아홉 시부터 아침 일곱 시까지는 명랑 비디오방에 내가 있는 시간이다. 새벽이 되면 술 취한 남녀들이 몰려왔다. 그들은 시간이 긴 타이타닉이나 비디오 두 편을 연이어 틀어 달라고 했다. 그들이 남기고 간 것은 귀걸이 한 짝이나 뒤집힌 스타킹, 정액이 묻은 속옷, 냄새가 고약한 피자 몇 조각이 전부였다.

후끈거리는 비디오방에 환풍기를 틀고 페브리즈를 뿌려댔다. 소파는 늘 젖고 마르기를 반복했다. 먼지가 맴도는 비디오방 안에서는 하루에도 몇 그루의 밤나무에서 꽃이 피었다. 가끔 남자는 하얀 손으로 화장실을 청소해주거나 술 취한 손님을 상대해주기도 했다. 나는 그때부터 명과 남자가 비교되기 시작했다. 담배 냄새나는 명의 손가락과 비디오를 만지는 남자의 가늘고 하얀 손가락부터 시작하여 부등호가 온통 남자에게 벌어지는 거였다.

휴대폰을 꺼낸다. 남자에게 전화를 걸까 망설이다 휴대폰을 주머니에 넣는다. 명을 만나기로 한 시간은 여덟시다. 나는 집으로 향한다. 서둘러 옷을 갈아입고 명을 만나러 갈 것이다. 머리카락을 오른손으로 쓸어 올린다. 휴대폰을 가방에 던지듯 넣으며 자리에서 일어선다. 가방에 들어 있던 열쇠가 휴대폰과 부딪혀 소리를 낸다.

가방에서 열쇠를 꺼낸다. 열쇠를 구멍에 넣는다. 척척 소리만 날뿐 쉽게 열쇠가 돌아가지 않는다. 처음 원룸으로 이사 오던 날 열쇠를 복사했다. 명에게 열쇠를 주려던 참이었다. 나는 건망증이 심했다. 명랑 비디오방에 도착해서야 냉장고 문을 열어둔 것이 생각나 명에게 부탁한 적이 있었다. 보리를 넣은 물 주전자를 가스레인지에 올려놓고 불을 끄지 않은 적도 있었다. 복사본은 내가 갖고 원본을 명에게 주었다. 그때부터 지금까지 아귀가 맞지 않는 열쇠는 늘 오 분 정도 나를 문 앞에 세워둔다. "이런 변덕쟁이." 나는 속으로 중얼거린다.

명이 열쇠를 넣을 때마다 척 소리를 내며 이내 열렸

다. 명은 사람의 마음을 여는 열쇠를 가졌는지 초면에도 단박에 사람들과 친해졌다. 치아를 드러내는 입술 왼편이 약간 올라가긴 했지만 그윽한 눈빛은 진실을 말하려는 사람처럼 보였다. 명이 일하는 건축 사무소에 갔을 때였다.

"리모델링 하시려고요. 거실과 방을 연결하는 벽도 허물 수 있고요. 가장 중요한 것은 요즘 도둑이 많지 않습니까. 잠금장치는 제가 특별히 서비스로 해드리죠."

명은 손님이 원하는 사항을 메모하면서 왼편 입술을 치켜올려 소리 없이 웃고 있었다. 명은 진실을 말하는 사람처럼 그윽한 눈빛으로 손님을 바라보았다.

"요즘은 오래된 아파트 한 채 사서 리모델링하면 잘 나가. 젊은 사람들은 이삼백 더 주고 새집증후군을 사는 셈이지. 값싼 장판, 벽지, 싱크대랑 타일만 깔고 현관문에 잠금장치 하나만 더 달아주면 입주자들은 입이 헤벌쭉 벌어지지."

명의 말이 생각난다. 나는 현관문을 발로 쾅쾅 찬다. 왼손으로 손잡이를 잡고 오른손으로 열쇠를 돌리며 끙끙댄다. "철컥." 문이 열린다. 하얀 시트가 씌워진 싱글 침대가 한눈에 들어온다. 창 쪽으로 걸어가 커튼을 젖힌다. 코발트빛이 방바닥에 쏟아진다. 열린 베란다 문 사이로 바람이 들어온다. 커튼이 바람에 흔들린다. 빨랫줄에는 어제 널어둔 겉옷과 속옷이 바싹 말라 있다.

여섯 살 때였을까. 빨랫줄에는 엄마와 내 옷이 마당에 걸려 있었다. 마당에 떨어진 물은 저그의 본진이 사라지는 것처럼 조금씩 햇볕에 말라갔다. 나는 아버지 옷이 왜 없냐고 한 번도 엄마에게 묻지 않았다. 내게 아버지는 사라져버린 저그의 땅 같은 존재였다. 본진이 파괴되면 스르륵 사라져버리는 저그의 땅.

엄마는 아버지가 술에 취해 소리를 지르며 집에 돌아올 때마다 내 손목을 잡아끌었다. 나는 그때마다 할머니 집에서 잠을 잤다. 할머니의 집은 피신처와 같았다. 아침에 엄마의 손을 잡고 촐랑대며 돌아와 보면 마당에는 흙 묻은 옷이 나뒹굴었고 몇 안 되는 엄마의 화장품이 깨져있었다. 나는 세상에서 가장 무서운 집이 우리 집이고 그 집을 지키는 사자가 아버지라고 생각했었다.

빨래를 걷어 왼팔에 하나씩 올린다. 침대 위에 빨래를 내려놓고 옷장 앞으로 걸어간다. 나뭇잎이 화석처럼 프린트된 원피스를 꺼낸다. 여름이 지나기 전에 한번은 입어야겠다고 생각했다. 스물여섯 번째 생일에 명이 사 준 원피스다. 원피스에서 옅은 담배 냄새가 난다. 나는 미간을 찡그리며 손목시계를 내려다본다. 여덟 시를 향하고 있다. 나는 서둘러 원피스를 입고 원룸을 빠져나온다.

미스롤은 사람들로 분주하다. 명은 나를 발견하고 손을 들어 보인다.

"늦었네?"

명은 이로 담배를 물며 내게 말한다.

"여기 금연 아닌가."

"그래서 물고만 있잖아."

마치 그가 나를 담배처럼 물고 있는 것 같아, 속으로 중얼거린다. 명의 왼쪽으로 쓸어 넘긴 가르마와 처진 왼쪽 어깨마저 싫증이 난다. 나는 메뉴판에 눈을 고정한 채 명을 쳐다보지도 않는다. 명은 술자리를 좋아했다. 술을 마시면 혀가 꼬일 정도로 마셨다. 지갑을 잃어버리거나 휴대폰을 택시에 두고 내려 폰이 자주 바뀌었다. 술을 마시면 도로로 뛰어들거나 공중전화를 사람으로 착각해 싸우기도 했다. 나는 그런 명을 이해하지 못했고 속 쓰린 배만 움켜쥘 뿐이었다. 명에게 마지못해 이별을 고했다. 하지만 다툼 뒤 바닥에 던져진 명의 담배꽁초와 헤어지자는 말을 한 뒤의 허무함만이 남을 뿐이었다. 명은 자신이 술에 취해 한 행동을 끝까지 기억해 내지 못했고 이별은 언제나 명이 피운 담배 연기와 함께 흩어져 버렸다. 차라리 남자가 오늘 파란 풍차에 나오지 않은 이유 같은 것들이 내겐 더 유익했다.

명과 나는 모둠 초밥과 새우튀김을 주문한다. 주문한 초밥과 새우튀김이 나올 때까지 나는 왼손 엄지손톱으로 오른손 검지 손톱을 긁는다. 명은 옆 테이블에 놓인 새우튀김을 흘겨본다. 십 분이 지났을까. 아르바이트생은 바닥을 내려다보며 새우튀김을 내려놓고 가버린다. 명은 입술에 기름을 발라가며 새우튀김을 먹어 치운다. 식탁 위에 명이 흘린 튀김가루가 지저분하게 흩어져 있다. 나는 초밥을 부러 부탁한 겨자소스에 찍어 입안에 넣는다. 눈물이 핑 돈다.

미스롤은 회사를 그만두고 줄곧 다녔던 초밥 전문점이다. 나는 집으로 돌아갈 때마다 새우튀김과 새우 초밥만을 주문했다. 입술에 기름을 묻혀가며 입천장이 헐 정도로 새우튀김을 먹었다. 새우튀김과 초밥은 어묵과 맛살, 팽이버섯이 든 우동과 함께 큰 쟁반에 담겨 나왔다. 밥과 새우 사이에는 고추냉이가 듬뿍 들어 있었다. 다른 곳에서는 간장소스 그릇만 줄 뿐 밥과 새우 사이에 고추냉이가 들어 있지 않았다. 나는 주문을 할 때마다 고추냉이를 넉넉히 넣어달라거나 겨자소스를 부탁했다.

나는 미스롤의 단골손님이 되었다. 초밥을 먹을 때마다 엄마의 오른손 검지 손톱에 낀 때가 생각났다. 초밥은 슬픔을 감춰주는 음식이란 것을 그때 처음 알았다. 슬퍼지기 전에 눈물을 흘리기 전에 겨자소스를 듬뿍 묻힌 초밥을 먹어야 한다는 것을 말이다. 슬픔을 감추기 위해 나는 초밥을 먹으러 갔다.

“너 슬프니? 왜 말이 없어?”

명은 유부초밥을 젓가락으로 집으며 말한다.

“지나간 일이 떠올라 눈앞이 막막해져. 지나간 일들을 손톱깎이로 깎아 버리고 싶어. 검지 손톱에 자꾸 때가 끼는 것 같아서 참을 수가 없어.”

나는 초밥을 젓가락으로 집어 생선 살에 겨자소스를

묻혀 입안에 넣는다. 세 번을 씹자 고추냉이의 매운맛이 입안에 맴돌다가 코끝으로 치고 올라온다. 눈물이 핑 돈다. 짧은 검지 손톱을 보자 엄마의 때 낀 손톱이 떠오른다. 순간 화가 난다. 왜 손톱을 물어뜯는 버릇이 생긴 걸까. 엄마가 내 앞에 있었더라면 물어봤을 것이다. 엄마와 나는 왜 이렇게 된 것이냐고.

여섯 살이던 나는 엄마의 바지를 잡고 졸졸 따라갔다. 엄마는 새벽이슬에 젖은 토끼풀을 밟으며 걸었다. 토끼풀을 적신 새벽이슬이 엄마가 신은 고무로 된 파란 슬리퍼 속으로 자꾸 숨어들었다. 나는 숨어드는 새벽이슬이 다른 집으로 매번 도망치는 엄마를 닮았다고 생각했다. 아버지는 엄마가 집에 없을 때면 할머니의 집부터 찾아갔다. 그래서 엄마는 다른 곳으로 가는 것이리라. 부서지기 쉬운 달팽이 집 따윈 내던지고 소라나 고동 같은 단단한 집을 찾아 숨고 싶은지도 모른다. 나는 엄마가 무엇 때문에 할머니 집에서 아버지한테 머리채를 잡혀 끌려가는지 알 수 없었다. 엄마가 빨간 립스틱을 바르지 않았기 때문이라고 생각했다.

언제였을까. 유치원을 다녀와 현관문을 들어섰을 때였다. 큰 방에서 아버지는 빨간 립스틱을 칠한 낯선 여자의 손을 잡고 있었다. 엄마는 뙤약볕에서 마늘을 심고 해가 저물어 돌아와 물에 밥을 말아 먹었다. 대충 씻은 엄마의 오른손 검지 손톱에는 때가 껴 있었다. 엄마에게 나는 아무 말도 하지 않았다. 그 뒤로 나는 가시를 모으는 버릇이 생겼다.

여섯 살까지 살았던 집은 탱자나무가 빙 둘러 있었다. 나는 탱자나무 아래에서 혼자 탱자 가시를 따며 놀았다. 탱자나무 가시는 굵고 뾰족했다. 오른쪽으로 살짝만 비틀면 가시는 쉽게 따졌다. 가시를 딸 때면 손이 자꾸 찔렸다. 탱자가 익어가는 탱자 울타리는 비밀의 화원 같았다. 탱자 울타리는 바싹 긴장시킨 가시를 경호원처럼 세우고 사자를 지키는 것 같았다. 나는 그때부터 가시를 모으기 시작했다. 내가 모은 가시는 엄마를 지키는 경호원이었고 살아가면서 거짓된 틈새를 찔러버릴 무기와도 같은 것이었다. 나는 가시가 담긴 유리병을 가방에 넣고 다니며 빨간 립스틱을 바른 여자들을 찔러버리고 싶었다.

명은 계산을 하고 밖으로 나간다. 바지 주머니에서 담뱃갑을 꺼낸다. 타임이다. 시간을 되돌릴 수만 있다면 엄마를 나는 붙잡았을 것이다. 빨간 립스틱은 계속 들으면 늘어나 들을 수 없는 싸구려 뽕짝 테이프와 같은 거라고 말했을 것이다. 명은 담배 한 개비를 꺼내 입에 문다. 미간을 찡그리며 담배에 불을 붙인다.

"담배 끊었다면서."

나는 명의 왼쪽 눈을 쏘아보며 말했다.

"미안하다. 며칠 전부터 다시 피웠다. 상관마."

명은 뻑뻑 소리를 낼 정도로 담배를 빤다. 명은 담배를 끊겠다고 맹세했었다. 나중을 생각해서 약속이라도 해두었다면 좋았을지도 모른다. 언젠가 담배 냄새와 송염 치약 냄새가 번갈아 났다. 명은 두 손을 저으며 눈을 동그랗게 뜨고 말했다. "맹세코 피우지 않았다고." 나는 명이 마트에 간 사이 싱크대와 화장실, 심지어 변기 뚜껑까지 열어보았다. 명이 피운 타임은 수도단자함에서 발견되었다. 웃음이 나왔다. 담배와 노란 라이터가 신랑 신부처럼 나란히 놓여 있었다. 나는 명의 얼굴을 레몬타임 잎처럼 손톱으로 꾹 눌러보고 싶었다. 구두를 신은 채 창고에서 몰래 쌀가마를 차에 싣던 아버지가 뒷구멍으로 빨간 립스틱에게 쌀을 가져다줄 것을 엄마보다 먼저 알아챘을 때처럼 아무 말도 하지 않았다.

명은 집 앞 정류장에 나를 내려놓으며 손을 흔든다. 나는 잘 가, 라는 뜻으로 짧게 고개를 끄덕인다. 명의 차는 미끄러지듯 눈앞에서 사라진다. 목이 마르다 나는 자판기 앞에 선다. 동전을 투입구에 집어넣는다. 버튼을 누른다. “쿵.” 음료가 떨어진다. 손을 넣어 음료를 집는다. 등이 서늘하다. 술에 취한 아버지의 눈을 봤을 때의 느낌이다.

“딩딩.” 휴대폰에서 나는 소리다. 배터리 확인란이 텅 비어 있다. 나는 어디에 서 있는 걸까. 마음이 텅 비어 가는 것 같다. 휴대폰을 주머니에 넣는 순간 카톡 소리가 난다. 남자의 톡이다.

- 오늘 미안했어요. 내일 봐요. 두시 파란풍차.

마음을 차분하게 가라앉히는 남자의 저음이 느껴진다. 나는 건널목을 건너 집으로 뛰어 들어간다.

두 사람이 오르기에 비좁은 계단을 오른다. 비밀의 문을 통과하듯 조심스럽게 오른발을 내민다. 남자는 어제 내가 앉아 있던 창가 쪽에 앉아 있다. 의자에 몸을 깊숙이 묻고 있다가 나를 발견하고는 몸을 일으킨다.

"미안해요. 만나자고 해놓고 그만. 사실은 어제 이사를 했거든요. 미리 씨가 사는 원룸으로요. 언제 한번 놀러 오세요. 음식 대접할게요."

"그래요? 제집을 어떻게 아셨어요?"

"그거야 어렵지 않죠."

남자는 윗니를 드러내며 웃는다. 남자는 봄비가 내린 시골 논둑에 돋아난 키 작은 쑥 같다. 연둣빛 브이넥 셔츠가 남자에게 잘 어울린다고 생각한다. 나는 파키라 나무를 의식하며 살며시 입술을 왼편으로 치켜올린다. 남자가 나를 미행했다는 것이 마음에 걸렸지만, 기분이 나쁘지는 않았다. 원래 남자들이란 이런 식으로 치고 들어오는 법이니까. 명 또한 그랬다.

명을 만난 것은 학원에서였다. 나는 수업이 끝나면 지하 독서실에서 공부했다. 명은 건축설계 공부를 하고 있었다. 화장실을 다녀올 때면 핫브레이크가 행정법 총론 위에 올려져 있었다. 다음날은 꽃다발이, 그다음에는 반지가 놓여 있었다. 명과 나는 점심도 같이 먹게 되었고 곰팡냄새가 코를 자극하고 형광등이 깜박거리는 침침한 지하 독서실에서 쪽지를 주고받으며 서로를 격려했다. 나는 명이 다정한 사람이라고 생각했다. 하루는 친구들과 모처럼 술자리를 갖는 자리에 명을 데려갔다. 나는 동창의 개그에 웃고 떠들었다. 소주를 물 마시듯 마시던 명은 끝내 취했고 남자들 앞에서 대놓고 좋아서 웃는다며 친구들이 사라진 뒷골목 거리에서 뺨을 때렸다. 다음날 명은 기억이 나질 않는다며 무릎을 꿇고 용서를 구했다. 그때부터 내게 틈이 생긴 걸까. 나는 명이 내게 너무 많이 들어와 있다고 생각했다.

남자와 나는 오렌지브랜드코냑을 시킨다. 창밖을 내려다보던 남자는 레몬타임과 창밖을 번갈아 보며 눈길 둘 곳을 찾는다. 느닷없이 남자는 눈을 동그랗게 뜨다가 이내 레몬타임 잎을 만지며 내게 묻는다.

"이거 진짜 맞아요?"

레몬타임 잎을 만지면서도 남자는 모르는 걸까. 하기야 조화에 길들어 있을 때 나도 레몬타임이 조화인 줄 착각했었다.

"진짜예요. 레몬 향기 나는 레몬타임."

나는 중얼거리듯 말하며 오른 손등으로 입술을 가리고 씩 웃는다. 남자도 웃으며 레몬타임 잎을 하나 뚝 끊는다.

"진짜 맞네."

남자는 우연히 정답을 찍어 맞힌 고등학생처럼 싱글거린다.

"왜 끊어봐야 진짜인 줄 아세요? 진짜처럼 안 보여요?"

나는 명이 물었던 질문을 남자에게 한다. 남자는 고개를 갸우뚱한다.

"나는 여자도 직접 안아봐야 진심으로 사랑하는지 알겠거든요. 그래서 사소한 것들도 만져봐야 진짜인지 가짜인지 느껴져요."

남자는 오렌지브랜드코냑을 한 모금 마신다. 독했는지 미간을 찡그리며 물을 꿀꺽 들이켠다. 남자에게 진짜가 되려면 나도 레몬타임 잎처럼 끊어져야만 할까. 창밖에는 일기예보를 들었을 몇몇 사람들만이 우산을 들고 지나다닌다. 나는 창밖으로 지나가는 우산과 남자의 연둣빛 브이넥 셔츠를 번갈아 내려다본다.

남자와 나는 파란풍차에서 나와 꽃집으로 간다. 남자는 레몬타임을 산다. 레몬타임을 한 손에 들고 저벅저벅 걸어와 레몬타임을 내 두 손에 쥐여준다.

"레몬 향기가 나요, 당신한테서. 그런데 왜 그렇게

말도 없고 눈빛이 건조해요? 잘 키워요."

남자는 가늘고 하얀 손으로 내 오른손을 그러잡는다. 남자의 손은 햇살에 잘 말린 빨래 같다. 손바닥이 따스하다. 내 손등이 하얗게 물들 것 같다. 남자는 악수하듯 오른손을 잡는다. 짧은 검지 손톱을 남자는 손가락으로 어루만진다.

"왜 이렇게 손톱이 짧죠? 잔을 들 때 잠깐 보았는데 물어뜯은 흔적 같던데. 그리고 이거 받아둬요. 어려운 일 있거나 무서우면 혼자 있지 말아요."

남자는 자기 집 열쇠를 내게 건넨다. 잘 본뜬 복사본은 형광등 불빛에 번뜩거린다. 나는 명이 잠깐 생각났지만, 열쇠를 받아 가방에 넣는다. 남자는 명랑 비디오방까지 나를 데려다준다. 월요일인데도 불구하고 일하지 않는다는 것이 이상했지만 남자에게 묻지 않았다. 나는 서둘러 레몬타임 잎처럼 끊어지기 싫었다. 남자가 문을 밀고 계단을 내려가는 동안 문에 걸린 종이 마구 흔들린다.

문에 걸린 종이 울린다. 손목시계를 내려다본다. 열한 시다. 문 사이로 들어온 바람 속에 술 냄새가 퍼져온다. 벙거지 모자는 미간을 찡그리며 여자의 손목을 잡고 있다. 여자는 벌게진 눈으로 벙거지 모자를 째려본다. 여자는 고개를 숙이며 화장실로 들어가고 벙거지 모자는 비디오를 고르는 척한다.

"여기 신나는 거 없어요?"

벙거지 모자가 말하는 신나는 것이 무엇인지 나는 알지 못한다. 나는 눈을 내리깔고 갈라진 목소리로 벙거지 모자에게 되묻는다.

"공포물이나 액션 같은 거요?"

"썅."

벙거지 모자는 입술을 오른편으로 치켜올리며 말한다. 액션물을 내밀며 최대한 볼륨을 높여 달라고 말한다. 벙거지 모자는 여자를 데리고 방으로 들어간다. 여자의 입술에는 빨간 립스틱이 짙게 발라져 있다. 나는 벙거지 모자의 입술을 손톱으로 꾹꾹 눌러보고 싶다. 벙거지 모자와 여자는 한 시간도 되지 않아서 나간다. 여자는 두 팔로 벙거지 모자의 허리를 두르며 배고프다고 말한다.

벙거지 모자와 여자가 나가버린 방은 찜통 같다. 환풍기를 틀고 페브리즈를 소파와 허공에 뿌린다. 축축한 소파 시트가 마르기까지 이 방은 손님을 들일 수가 없다. 소파 위에 담뱃갑이 보인다. 담배가 들어있다. 담뱃갑을 집는다. 담배 한 개비를 입술에 문다. “상관 마라.” 나는 명이 했던 말을 담배를 물고 따라 해 본다. 빨간 립스틱. 빨간 립스틱. 속으로 중얼거린다. 사이가 떨어져 있는 두 개의 소파를 붙인다. 바닥에 뭔가가 있다. 소파를 벌린다. 휴대폰이다. 휴대폰을 집어 들고 소파를 붙인다. 검지 손톱을 물어뜯는다. 방을 나오면서 입안에 느껴지는 손톱을 퉤 뱉는다. 종소리가 들린다. 남은 방은 이 방뿐이다. 손목시계를 내려다본다. 시침과 분침이 열두 시를 향해 가랑이를 좁히고 있다. 이 시간에 명랑 비디오방은 만삭이다. 남녀 한 쌍이 들어온다. “어서 오세요.” 나는 담뱃갑을 주머니에 찔러 넣는다.

주머니에서 휴대폰을 꺼내 레몬타임과 함께 책상 위에 내려놓는다. 이미 말라버린 레몬타임 잎은 고개를 숙이고 있다. 레몬타임 잎 하나를 만진다. 힘없이 흙 위로 잎이 떨어진다. 이미 말라버린 것을 살리는 일은 또다시 죽이는 것과 같아. 나는 검지 손톱을 내려다보며 중얼거린다. 엄마가 떠난 것은 어쩌면 또다시 말라

버리기 싫어서 그랬을지도 몰라. 나는 말라버린 레몬타임 화분을 쓰레기통에 버리며 생각한다. 남자가 준 레몬타임 잎 하나를 끊어 코끝으로 가져다 댄다. 레몬 향기가 콧속으로 스며든다. 잎 가장자리를 꾹 눌러본다. 눈썹달이 잎에 선명히 찍힌다. 순간 틈새 사이로 레몬 향이 퍼진다. 넌 진짜야. 나는 속으로 중얼거린다.

내게 화요일은 일요일과 같다. 명랑 비디오방은 한 달에 두 번 쉰다. 나는 이불 속으로 들어간다. 하얀 시트가 남자의 손바닥 같다. 처음 남자의 손을 잡았을 때 햇살에 잘 말린 빨래를 떠올렸다. 햇살을 쏘인 빨래를 걷어 팔에 올릴 때마다 느꼈던 따스함이 남자의 손바닥에서 전해졌다. 나는 이불을 가슴까지 끌어올린다. 천장을 바라본다. 핑크빛이 도는 벽지다. 천장에는 아무런 무늬도 없다.

나무로 깎은 거실 천장은 사각의 모서리에 배 모양이 새겨져 있었다. 할머니 배, 엄마 배, 내 배. 하나는 버려야겠다. 손가락으로 모서리를 가리키며 마음속으로 중얼거렸다. 나는 거실 바닥에 혼자 누워 생각했다. 저 배를 타고 엄마는 어디론가 가버릴 것 같다고. 나는 검지 손톱만 물어뜯었다. 일곱 살이 되던 어느 날 엄마가 마늘을 심으러 간다고 나갔을 때 엄마의 가방이 천장에 새겨진 배처럼 느껴졌다. 엄마의 눈에는 눈물이 가득했다. 막 짠 빨래 같았다. 나는 모아두었던 탱자나무 가시를 엄마 가방에 찔러 넣었다. 엄마 이게 바로 노야. 나는 속으로 중얼거렸다. 내 눈물은 바싹 말라버렸는지 나오지 않았다. 그날 밤 꿈을 꾸었다. 엄마는 배 위에 앉아 노를 젓고 있었다. 배는 움직이지 않았다. 엄마는 계속 노를 저었다. 그 후로 마당 빨랫줄에는 할머니와 내 옷만 걸리게 되었다. 물을 뚝뚝 흘리며. 젖은 빨래는 엄마가 떠나는 것임을 알고도 울지 못했던 나를 대신해서 울어주었다. 천장을 바라보는 버릇은 스물다섯이 넘을 때까지 계속되었다. 남의 집에 가서도 천장부터 봤다. 천장에는 그 집에 사는 사람의 아픔이 새겨있다고 스스로 믿어왔다.

어젯밤 주머니에 넣었던 담뱃갑을 꺼낸다. 타임이다. 담배 한 개비를 꺼내 가스레인지를 켠다. 타임에 불이 붙는다. 명을 따라 해 본다. 미간을 찡그리며 담배를 빨아들인다. 연기가 콧속으로 치고 올라온다. 기침이 난다. 삭은 홍어회를 먹을 때처럼 기침이 연이어 난다.

눈에서 눈물이 핑 돈다. 구역질이 난다. 담배를 개수대에 던지고 담뱃갑을 주머니에 넣는다. 나는 책상 위에 휴대폰을 노려본다.

일주일이 넘도록 휴대폰 주인은 나타나지 않았다. 명랑 비디오방주인은 내 시간에 주운 것이니 알아서 하라며 내 손에 건네주었다. 명랑 비디오방은 분실물 센터와 같았다. 주인을 잃은 물건들이 구석에 가득 쌓여 있었다. 끝이 뭉툭해진 립스틱, 낡은 지갑, 휴대폰 등이었다. 술에 취해 오는 경우가 많았기에 찾으러 오는 사람은 드물었다. 사람들은 공기를 뜨겁게 달궈놓고 슬픈 영혼을 두고 가기도 했다. 나는 소파가 축축하도록 슬픈 영혼이 울고 가는 것으로 생각했다. 나는 사용하고 있는 휴대폰과 주운 휴대폰을 가방에 넣고 서둘러 집을 나선다.

정오의 햇살이 우두두 머리 위로 쏟아진다. 남자에게 전화를 건다. 신호음이 간다. 뚝. 남자는 전화를 끊어버린다. 다시 건다. 전원이꺼져있어삐소리후소리샘으로연결되오며……. 나는 휴대폰을 가방에 넣는다. 가방에 넣어둔 열쇠가 손에 잡힌다.

나는 101호 문 앞에 선다. 손잡이를 내려다본다. 열쇠 집 전화번호 스티커가 두텁게 붙어 있다. 나는 열쇠를 구멍에 넣으려다 만다. 현관문 옆에 화장실 창문이 있다. 나는 창문을 지나 엘리베이터 앞으로 걸어간다. 어디선가 변기에서 물 내려가는 소리가 들린다. 나는 그 자리에 멈춰 선다. 남자의 집에서 난 소리일까. 나는 현관문 앞으로 바짝 다가선다. 발소리가 들리지 않게 조심한다. 현관문에 귀를 가까이 댄다. 화장실 문소리가 들린다. 쭈그리고 앉아 우유 투입구를 오른쪽으로 올려본다. 잠겨 있다. 고개를 든다. 감시구가 보인다. 감시구를 푼다. "삭삭." 침을 발라 창호지에 구멍을 내어 신혼 방을 훔쳐보는 것 같다. 감시구에 눈을 맞춘다. 남자는 냉장고에서 물을 꺼내 마시고 있다. 침대 위에 한 여자가 누워 있다. 몸을 이불로 감싸 안은 채 남자가 건네는 물 잔을 받아 마신다. 남자는 티 테이블에 놓인 담뱃갑을 집어 든다. 남자는 담뱃갑을 흔들어 본다. 담배 하나도 없네,라고 남자가 말하는 것 같다. 남자는 여자의 잔을 건네받아 바닥에 내려놓는다. 여자가 감싼 이불 안으로 들어간다.

나는 뒤로 물러선다. 손가락으로 머리카락을 빗는다.

손바닥을 내려다본다. 머리카락이 손가락에서 떨어진다. 나는 주머니에 넣었던 타임을 꺼낸다. 타임을 현관문 바닥에 내려놓는다. 주춤주춤 엘리베이터를 탄다. 남자의 상기된 얼굴과 붉은 입술이 낯설었다. 나는 손톱을 입술에 가져다 댄다. 남자는 나를 속였던 걸까. 입안에 손톱이 느껴진다. 나는 남자와 아무런 사이도 아닌 거였다. 배신감 같은 것도 없었다. 명랑 비디오방을 찾아오는 이들처럼 소파가 축축하도록 영혼이 울지도 않았지 않은가. 세상 사람들은 조화 같은 사랑에 마음을 빼앗기는 것일까. 남자도 그런 걸까. 나는 들고 있던 열쇠를 가방에 넣으며 뜯긴 손톱을 뱉어낸다. 살까지 뜯겼는지 쓰라리다.

"나에게 기대 줄래요?" 남자의 말이 이명처럼 들린다. 남자를 다시 끄집어내어 어디든 손톱으로 꾹꾹 눌러보고 싶다. 내게 치고 들어온 이유가 무엇인지 묻고 싶은 거다. 나는 2층으로 올라와 열쇠를 구멍에 넣는다. 쉽게 열리지 않는다. "하나같이 거북이 같아." 나는 미간을 찌푸리며 생각한다. 사람들은 마음속에 잠금장치를 걸어 놓고 얼굴만 문밖으로 내밀 뿐이다. 진실한 마음은 이미 유통기한을 넘긴 빵이 되어버렸다. 쉽게 열리지 않은 복사본 열쇠나 곪아버린 틈새를 감추려는 서툰 몸짓이나 다를 바 없는 것이다. 손잡이를 잡고 열쇠를 이리저리 돌린다. 문이 열린다.

나는 책상 위에 놓인 남자가 준 레몬타임을 노려본다. 잎 하나를 꾹 누르자 눈썹달 모양이 잎에 찍힌다. 잎을 끊어 흙 위에 떨어뜨린다. 베란다로 나가 얼굴을 내민다. 빗방울이 눈두덩에 툭 떨어진다. 눈을 감았다 뜬다. 초밥이 먹고 싶다. 빗방울이 눈시울을 적신다. 여름이 가고 있다. 여름을 보내기 위해 내리는 비다. 아파트 초입에 심어진 백일홍이 마지막 꽃잎을 가지 끝에 피우고 있다.

책상 위에서 남자가 준 레몬타임이 말라간다. 물을 주지 않았다. 잎을 꾹 눌러 본다. 눈썹달 모양이 선명히 찍힌다. 잎을 뚝 끊는다. 책상 위에 잎이 툭 떨어진다. 넌 진짜 맞니? 나는 속으로 중얼거린다. 답답하다. 아이스크림이 먹고 싶다. 명은 일주일째 연락이 없다. 나는 명랑 비디오방 일을 그만두었다. 짝 잃은 스타킹도 축축한 소파도 이젠 지겹다. 냉동실 문을 연다. 아이스크림을 꺼내 한입 베어 문다. 이가 시리다. 명은 요구르트 아이스크림을 좋아했다. 꼭 시리얼 토핑을 뿌려 먹고는 했다. 명은 아이스크림 전문점을 자주 갔다.

"나는 토핑 싫은데."

나는 시리얼이 뿌려진 요구르트 아이스크림을 스푼으로 뜨며 말했다.

"왜 토핑 없는 아이스크림은 단팥 없는 호빵과 같아."

명은 토핑 없이 아이스크림만 떠먹는 나를 멍하니 바라보았다.

"토핑 추가하면 천 원씩 더 들잖아. 그리고 아이스크림의 부드러움만 느끼라고."

나는 토핑을 뿌리지 않은 요구르트 아이스크림만 먹여야 한다고 생각했다. 엄마와 아빠만 있으면 가족이 되는 것처럼. 엄마라는 호칭이 한 명 더 추가되면 가족의 맛은 아이스크림에 젖은 시리얼 같아진다.

아이스크림을 개수대에 던져버린다. 책상 위에 올려놓은 레몬타임을 집어 든다. 잎 하나에 눈썹달이 떠 있다. 잎을 손톱으로 끊어 혀에 가져다 댄다. 혀끝에 손톱으로 누른 틈새가 느껴진다. 레몬 향이 콧속으로 밀려 들어온다. 나는 베란다 문을 연다. 바람이 들어온다. 입술에 손을 가져다 댄다. 말라버려 거칠어진 식빵을 만지는 느낌이다. 베란다 문을 잠그고 방으로 들어온다. 냉장고 문을 열어 물통을 꺼낸다. 보리 찌꺼기가 가라앉아 있다. 담뱃가루가 가라앉아 있다는 착각이 든다. 마개를 열고 물을 마신다. 목이 마르다. 나는 오렌지브렌드코냑을 마신다. 크림과 코냑이 극을 이루며 입안에 맴돈다. 달콤한 크림과 식도에서 입으로 소용돌이치며 올라오는 코냑이 테이블 위에 올려진 레몬타임을 조화처럼 보이게 한다. 마실수록 몽롱한 느낌이 든다. 테이블 사이사이마다 놓인 파키라 나무가 보인다. 명랑비디오방에서 봤던 벙거지 모자가 파키라 나무 뒤에 숨어 여자를 안고 있다. 벙거지 모자는 여자의 머리를 쓰다듬으며 말한다.

"자기야, 이 나무 진짜야?"

"진짜 같은데."

여자는 파키라 잎을 손톱으로 꾹 눌러본다.

"조화다. 잎사귀만 나무에 꽂아 놨잖아. 꼭 진짜 같네."

벙거지 모자와 여자는 시시하다는 듯 웃으며 잔을 입술에 가져다 댄다. 잔을 테이블 위에 내려놓으며 남자는 여자의 볼에 살며시 입을 맞춘다.

휴대폰을 가방에서 꺼낸다. 키패드 화면에서 1번을 터치하려다 만다. 1번이었던 명의 번호를 9번으로 바꾼 것은 남자를 만나고부터였다. 9번을 터치하자 명의 번호가 화면에 나타난다. 신호음이 간다.

"미리니? 웬일이야."

"어디야? 퇴근했겠네. 초밥이나 먹으러 갔으면 해서."

"그래? 어쩌지. 나 지금 일이 있어서 소장이랑 밖에 나와 있는데."

통화종료 버튼을 터치한다.

사람과의 관계는 부름에서 시작한다. 명이 나를 원하고 내가 명을 원했던 것처럼. 하지만 부름에는 얼마나 많은 틈이 있는가. 거짓된 말들도 곪아버린 틈, 틈을 비집고 나오는 새싹을 뭉그러뜨리는 발길들. 내가 안고 있는 틈에 햇빛을 쏘인다면 그때는 빨간 립스틱도 벙거지 모자 따위도 거슬리지 않게 될까. 가방에는 명의 열쇠와 남자의 열쇠가 들어있다. 나는 명의 열쇠를 만지작거리며 88번 버스를 탄다. 88번 버스는 정류장에 나를 내려놓고 저만치 멀어져 갔다. 명의 아파트가 보인다. 명은 자기 집 내부를 직접 리모델링했다. 문을 열자 열린 창문 사이로 바람이 불어와 머리카락을 쓸어 넘긴다. 나는 고개를 들어 방을 휘둘러본다. 방안에 배인 담배 냄새가 덮친다. 침대 앞으로 걸어간다. 재떨이에는 담배꽁초가 촘촘히 박혀있다. 꽁초마다 필터를 이로 꽉 문 흔적이 보인다. 명은 필터를 물며 담배를 피웠다. 나는 담배꽁초가 담긴 재떨이를 휴지통에 버리려다 담배꽁초 하나를 집어 입술에 가져다 댄다. 필터 부분을 이로 꽉 문다. 빨간 립스틱이 담배꽁초에 묻는다. "빨간 립스틱 빨간 립스틱." 작은 목소리로 중얼거린다. 나는 손에서 힘이 빠져나가는 것을 느낀다. 바닥에 담배꽁초가 쏟아진다. "훗." 왼편 입술이 약간 올라가며 입술 사이로 바람이 빠져나온다. 웃음일까 허탈일까. 속이 텅 빈 플라스틱 인형으로 살아온 느낌이다.

나는 화장실에 들어간다. 주운 휴대폰을 휴지통 안에 버린다. 들고 있던 명의 집 열쇠도 던진다. 나는 가짜야. 속으로 중얼거린다. 명과 나는 서로 부름을 당했지만, 각자의 틀을 벗어나지 못해 언제나 상대방의 자리에서는 부재중이었다. 나는 명에게 한 번이라도 따뜻했던 적이 있었을까. 뺨을 맞은 이후로 나는 마음에서부터 명을 밀어냈다. 갑갑증이 인다.

열쇠를 꺼내 열쇠 구멍에 집어넣는다. 열쇠 구멍은 복사본인 열쇠를 쉽게 받아들이지 않는다. 왼손으로 손잡이를 잡고 열쇠를 돌린다. 문이 열린다. 하얀 싱글 침대가 한눈에 들어온다. 벽을 더듬어 스위치를 누른다. 책상 위에 남자가 사준 레몬타임이 환하게 눈에 들어온다. 여자가 누워있던 이불 속으로 허벅지를 들이밀던 남자가 떠오른다. 책상 앞으로 걸어가 레몬타임을 내려다본다. 말라버린 한 개의 잎에 눈썹달 모양이 찍혀 있다. 검지 손톱으로 다른 잎을 꾹 눌러본다. 뜯겨 짧아진 손톱은 눈썹달 모양을 만들어내지 못한다. 다른 손가락으로 차례대로 잎을 눌러본다. 잎 하나하나에 틈새가 생긴다. 잎을 만지면 만질수록 레몬 향이 퍼진다. 내가 지닌 틈새에는 무엇이 있을까. 화분을 들고 베란다로 나간다. 잎마다 눈썹달이 떠 있다. 베란다 창문으로 고개를 내민다. 아무도 보이지 않는다. 왼손으로 화분을 들고 오른손으로 잎을 마구 뜯는다. 레몬 향이 퍼진다. 손에서 화분을 놓는다. 손톱을 내려다본다. 레몬 향이 맡아진다. 손톱 틈새에 레몬타임 잎이 끼어 있다.

달리 보니 눈썹달이 떠 있는 것 같기도 하다. 찌직, 가로등이 자꾸 깜박거린다.

*2006년 전북중앙일보 신춘문예 당선작

널 지켜보고 있어

널 지켜보고 있어

한 달 전부터 꽃 한 송이를 들고 다니던 남자가 있었어. 남자는 9층이나 11층에서 내렸지. 그래, 10층에서는 내리지 않는 게 이상했어. 나는 그런 남자의 행동이 의심쩍었지. 남자는 카드빚을 남기고 떠난 그녀의 첫 번째 남자 같았어. 목덜미에 돋은 점이 그녀의 첫 남자와 똑같았거든. 모자를 쓰고 있어서 남자의 얼굴은 볼 수 없었어. 나는 목덜미에 돋은 점으로 그녀의 첫 남자라고 추측했지. 아직 그녀를 잊지 못했나, 하고 생각했어. 그녀에게 빚을 남기고 간 비겁한 남자가 그녀를 잊지 못했다는 것을 나는 이해할 수 없었어. 그러던 남자가 어느 순간 꽃을 들고 오지 않는 거야. 아파트가 소란스러워진 것은 그때부터야.

믿고 싶지 않았어. 누군가 그녀의 현관문에 칼을 그려놓고 갔다는 것을 말이야. 삼 일 전이었어. 남자가 더 이상 꽃을 들고 오지 않은 게 말이야. 누구도 신경 쓰지 않았고 남자를 아무도 보지 못했지. 남자는 1층에서 엘리베이터를 타지 않았어. 사람이 드문 새벽에 계단을 이용해서 4층이나 6층에서 엘리베이터를 탔거든. 나는 사람들이 뜸한 시간이면 잠을 자고 있어서 남자가 타는 모습을 보지 못했어. 잠에서 깨어나 보면 남자가 있었지. 남자는 목덜미를 쓸어내리는 버릇이 있었어. 나는 그럴 때면 목덜미에 돋은 점을 유심히 보았지. 남자는 P가 새겨진 모자를 쓰고 있었어.

10층에서 누군가 엘리베이터 버튼을 눌렀어. 난 그것을 직감으로 느껴. 여기에 서 있는 것도 삼 년째야. 그 정도는 온몸으로 느낄 수 있지. 10층에서 개나리색 유치원복을 입은 아이들과 부녀회장, 자동차 영업사원이 탔어. 넥타이를 매던 자동차 영업사원이 엘리베이터를 타자마자 닫힘 버튼을 신경질적으로 눌렀지. 엘리베이터가 내려가기 시작했어. 자동차 영업사원은 넥타이를 매다가 비뚜름하게 되자 혀를 찼어. 일이 잘 풀리지 않는다는 뜻이야. 내 생각이지만 영업사원은 영업직이 적성에 맞지 않나 봐. 웃는 모습을 본 적이 없어. 출근할 때면 사는 게 지겨운 표정을 지어. 풀린 눈으로 한숨만 쉬지. 넥타이를 만지는 영업사원의 팔꿈치가 닳아진 게 보여. 소맷부리에 묻은 김칫국물 자국이 보여. 영업사원은 혼자 살거나 게으른 사람일 거야. 영업사원이 혀를 차거나 술에 취해 화를 내는 것도 자주 보았어. 그럴 때면 난 겁이 나. 깔끔한 정장에 잘 닦인 구두와는 어울리지 않는, 섬뜩한 눈빛 말이야. 다음 날 아침이면 언제 그랬냐는 듯이 행동해. 깔끔이 몸에 밴 사람처럼 보이기 위해서 말이야. 고객 앞에선 웃음을 흘리는 성실한 직원이자 청년이겠지. 하지만 영업사원은 극단적인 성향이야. 내가 보기에는 그래. 은색 바탕에 연보랏빛 세로줄 무늬의 넥타이가 제자리를 찾았어. 은색 바탕의 넥타이가 영업사원의 검게 탄 피부와 어울리지 않아. 6층에서 문이 열렸어.

6층에서 노인과 여자 둘이 탔어. 부녀회장은 별이를 오른편으로 바꿔 안으며 종이가방에서 테이프와 종이를 꺼냈어. 종이에는 '아파트 전체 회의'라고 크게 적혀 있었지. 10층 사람들은 모두 참석 바람이라는 문구가 눈에 들어왔어. 관리소 아저씨가 너무 늙었다는 아파트 주민의 건의와 쾌적한 엘리베이터를 래커맨 회의와 함께 진행한다는 문구도 적혀 있었어. 여자 둘과 영업사원이 문구를 바라봤어. 개나리색 유치원복을 입은 아이들은 가방을 뒤지더니 무언가를 꺼내 나눠 가졌어. 아이들은 비눗방울을 닮았어. 투명한 저 눈에 교묘한 심술이 터질 듯 가득 들어차 있지. 언제 터질지 모르는 비눗방울처럼 말이야. 돼지코 스티커 나도 줘. 아이들은 한 아이에게서 돼지코 스티커를 빼앗아 나눠 가졌어. 퍼즐 조각을 꺼내는 아이도 있었지. 한 여자는 회의에 관심 없는 손짓으로 파우더를 찍어 발랐어. 펄이 들어간 핑크빛 립글로스를 덧바른 두 여자의 입술이 반짝거렸어. 화장품을 같이 쓰는 모양이야. 노인은 구부정한 허리를 이리저리 움직이며 두 여자의 다리를 번갈아 훔쳐보고 있었어. 회의는 젊은이들끼리 하는 것으로 생각하는 모양이야. 영업사원은 습관처럼 혀를 찼어. 혀를 차는 영업사원을 두 여자가 번갈아 노려봤어. 파우더를 바르는 여자 옆에 서 있던 링 귀걸이가 영업사원의 뒤통수에 대고 주먹을 쥐었지. 그때 파우더를 찍어 바르던 여자가 장난스럽게 말했어.

"널 지켜보고 있어."

링 귀걸이는 눈살을 찌푸렸어.

"래커맨을 본 것도 같아."

링 귀걸이는 휴대폰 액정화면에 비친 자기 얼굴을 들여다보며 말했어.

"야! 봤으면 봤지. 본 것도 같다는 게 뭐야?"

파우더는 부녀회장을 의식하며 말하는 투였어. 부녀회장이 안고 있던 별이가 나를 보고 야옹 했어. 별이는 엘리베이터를 탈 때부터 나를 주시하고 있었어. 별이는 나를 알아보는 걸까. 부녀회장은 래커맨 사건이 있고 난 뒤부터 엘리베이터를 자주 탔어. 오전에는 세 번쯤, 오후에는 열 번도 넘게 탔지. 그들은 나를 의식하지 않기 때문에 난 그들의 표정과 행동을 멍하니 바라보며 하루하루를 보냈어. 부녀회장은 10층 사람들과 아파트 주민의 동태를 조사 중인 것 같았어. 부녀회장과 내가 손을 잡는다면 래커맨을 잡는 것은 시간문제일 거야. 하지만 부녀회장은 내가 여기 서 있는지조차 모르는 것 같아. 부녀회장이 링 귀걸이의 제보를 수첩에 적었어.

"저녁 여덟 시 회의, 한 분도 빠지지 말고 나오세

요."

부녀회장은 무언가를 수첩에 적으며 말했어. 두 여자가 부녀회장이 안고 있던 별이를 내려다봤지. 6층에서 1층까지는 12초가 걸릴 뿐이야. 손목시계와 숫자판을 번갈아 보는 영업사원의 뒷모습이 노호혼*을 닮았다고 생각했어. 엘리베이터 문이 열리자 자동차 영업사원이 서둘러 사각의 세상으로 튀어 나갔어. 차가운 아침 공기가 빛과 함께 사각의 틀 속으로 달려들어 왔지. 엘리베이터가 멈추고 문이 열리는 통에 머리가 어지러웠어. 링 귀걸이는 머리를 긁적이며 머뭇거리고 있었어. 할 말이 남아있는 것 같았어. 그때 링 귀걸이가 부녀회장에게 말했지. 열림 버튼을 누르면서 말이야.

"그런데요. 삼 일 전에 모자 쓴 남자를 6층에서 봤거든요. 그런데요. 11층에서 내리더라고요. 6층에서 올라가는 사람은 드물잖아요. 수상해서 계속 지켜봤죠."

링 귀걸이는 믿어줘요, 라는 뜻으로 눈을 크게 떠 보이는 것 같았어. 부녀회장은 래커맨을 남자로 생각하고 있었고 남자와 원한 관계가 있는 사람은 여자라고 생각하고 있었거든. 링 귀걸이는 자신이 의심받을까 봐 두려웠나 봐. 부녀회장은 뒷주머니에서 수첩을 꺼내 링 귀걸이의 말을 적었어. 개나리색 아이들은 손을 뻗어 숫자판과 내 얼굴에 스티커를 붙이고 있었지. 스티커를 붙인 아이들은 튕겨 나가듯 엘리베이터에서 뛰어나갔어. 탱탱볼 같았지. 래커맨이 나타나기 전에도 저 녀석들은 돼지코 스티커와 당나귀 귀 같은 스티커를 붙였어. 청소하는 아주머니는 돼지코 스티커에 물을 묻혀 칼로 긁어 떼어냈었지. 부녀회장은 링 귀걸이를 심문하듯 물었어.

"혼자였어?"

"그럼요. 혼자…였죠."

부녀회장이 눈을 치켜뜨며 링 귀걸이를 바라봤어. 의심하는 부녀회장의 눈초리는 매서웠어. 링 귀걸이는 하트모양의 펜던트를 만지작거렸어. 그리고는 눈웃음을 쳤지. 하루쯤 만나면 좋을 그런 여자 같았어. 적당한 가식과 과장으로 하루쯤 남자를 즐겁게 포장해 줄 수 있는 그런 여자였어. 난 고개를 저었어. 정신을 가다듬고 생각했지. 링 귀걸이는 저 가식 때문에 사람을 지치게 할 상이었어. 눈동자를 보면 알 수 있거든. 눈웃음을 치는 링 귀걸이의 눈주름이 보였어. 눈빛은 살아있었지. 부녀회장이 자신을 믿는지 살피는 눈치였어. 눈을 내리깔고도 옆 사람의 기운을 파악할 줄 아는 여자 같았어. 부녀회장이 그걸 눈치채지 못한 것은 아니지.

"자네는 여덟 시에 나와."

부녀회장은 링 귀걸이를 정면으로 바라보며 쐐기를 박았어. 파우더를 핸드백에 담던 여자는 링 귀걸이를 바라보며 자기네들끼리 눈빛을 주고받았어. 뭔가 숨기는 눈치야. 부녀회장은 내게는 래커맨에 관해 묻지 않아. 굳이 내게 물을 이유가 없는 게 난 말을 할 줄 몰라. 난 그들을 바라볼 뿐이야. 그들도 나를 바라보며 웃고 울고 화를 내. 그뿐만이 아니야. 그들의 냄새도 맡을 수 없어. 냄새가 무엇인지조차 몰라. 냄새만 맡을 수 있다면 래커맨을 쉽게 잡을 수 있을 텐데 말이야. 냄새라는 게 있다는 것은 그녀가 프리지어 향기가 좋다, 라고 말할 때 알게 됐어. 프리지어 향. 난 그 향기가 맡고 싶어. 돼지코 스티커를 붙인 자리가 자꾸 간지러워.

부녀회장과 총무의 볼이 닭살 같아. 목욕을 다녀온 모양이야. 일 층에서 부녀회장과 총무가 탔어. 그때 오토바이에서 내린 남자가 뛰어 들어왔지. 남자는 조은통닭이 새겨진 헬멧을 쓰고 있었어. 통닭이 담긴 봉지도 보여. 조은통닭이 들어오자 부녀회장과 총무는 경계의 눈초리로 조은통닭을 곁눈질했어. 아파트에 오는 모든 사람이 의심의 대상이 된 거지. 총무가 들고 있던 목욕 바구니를 바닥에 내려놓았지. 조은통닭은 아무렇지 않게 11층을 눌렀어. 숫자판이 3으로 변하자 부녀회장은 10층을 눌렀지. 부녀회장은 고양이를 오른편 품으로 바꿔 안았어. 글쎄, 고양이를 목욕탕에 데려간 건 아니겠지. 고양이의 동공이 나를 빨아들이는 느낌이야. 난 별이가 싫어. 의심 많은 저 눈빛. 총무는 조은통닭 청년을 의식하며 부녀회장 귀에 입술을 가까이 가져다 댔어.

"래커맨이……."

총무는 말을 하면서 조은통닭을 슬쩍 돌아봤어. 머리를 움직일 때마다 총무의 파마머리가 스프링처럼 튀어 올랐어. 아주 작게, 통통 튀어 올랐지. 물에 젖은 총무의 파마머리가 넝쿨이 되어 내 얼굴을 뒤덮는 상상을 했어.

"배달원 중에 있을지도 몰라."

부녀회장과 조은통닭 청년의 눈이 마주쳤지. 조은통닭 청년은 얼른 고개를 돌려 숫자판을 올려다봤어. 부녀회장과 총무가 내리면 조은통닭은 닫힘 버튼을 누를 거야. 자신이 의심받는다고 느꼈을 테니까. 부녀회장 품에서 고양이가 뒤치락거리며 내 쪽으로 튀어 오를 기세야.

"별아, 가만히 있어! 저 사람 이 아파트 단골 배달원 맞지?"

문이 닫히는 사이 부녀회장의 말이 들렸어. 분명히 조은통닭 청년도 들었을 거야. 그 청년은 11층에서 내렸어. 나는 조은통닭 청년의 뒤통수밖에 보질 못했어. 그래서 청년의 표정을 볼 수 없었지. 부녀회장은 각종 배달원을 조사하고 있다고 했어. 총무와 하는 말을 들었지. 바른택배 아저씨, 조은통닭 청년, 피자마니 청년, 황금성 중국집 아저씨가 아파트 단골 배달원이야. 그중에서 조은통닭 청년과 피자마니 청년을 회의에 참석하도록 부른다고 말했지. 10층 사람들을 위주로 조사하면 사건의 실마리를 찾을 수 있을 거라고 부녀회장은 말했어. 총무가 신은 여름용 샌들이 복도에 울려. 난 온몸으로 소리를 기억해. 래커맨이라 불리는 남자는 걷는 소리가 없었어. 그래, 발소리 말이야. 신발과 바닥이 맞닿는 순간 들리는 그 명징한 소리를.

래커맨이 처음 낙서한 것은 삼 일 전이야. 래커맨은 10층 복도 바닥에 낙서를 해놓았어. 낙서인지 협박인지 알 수 없었지. 널 지켜보고 있어. 붉은색 래커로 쓰인 낙서를 사람들은 너도나도 말했어. 낙서가 된 이튿날 아침에 학교에 가던 여학생이 '고'자 위에 서서 소리를 지르고 있었다고 부녀회장이 엘리베이터 안에 사람들에게 말했지. 난 그 여학생의 소리에 잠에서 깨어났어. 아마 여학생은 그녀의 현관문에 그려진 칼을 보고 소리를 질렀을지도 몰라. 래커맨의 흔적은 찾을 수 없었어. 발자국도 없었지. 붉은색 래커로 써진 글씨는 공들여 쓴 흔적 같다고 사람들은 말했어. 사람들은 급속도로 친해졌어. 엘리베이터를 타면 뒤에 오는 사람이 있어도 닫힘 버튼을 눌러버리던 사람들이 변해갔어.

래커맨은 그 뒤로 한 번 더 찾아왔어. 그녀의 현관문에만 칼을 그려놓고 갔지. 사람들은 겁에 질린 표정으로 래커맨을 이야기했어. 그녀에게 원한을 가진 남자가 한 짓이라는 거야. 누구는 조은통닭이라고 말했고, 11층에 혼자 사는 남자라고도 말했어. 아마 사람들은 조은통닭의 빨간 헬멧을 붉은 래커와 혼동했는지도 몰라.

이성을 잃으면 과장되게 말하잖아. 11층에 사는 남자가 며칠 전부터 계단을 이용하면서 무어라 혼자 중얼거렸다는 거야. 사람들은 래커맨이 아파트 근처에 살고 있을 거라고 말했어. 난 기억을 더듬었어. 처음 낙서가 발견되던 날 엘리베이터에 누가 탔었는지. 필름 같은 기억들이 시간과 날짜가 뒤섞인 채 떠올랐어.

삼 일 전이면, 그녀가 두 번째 남자를 아파트에 데려온 날이야. 자동차 영업사원이 술에 취해 엘리베이터 안에 오줌을 눴고, 개나리색 유치원복을 입은 아이들이 당나귀 스티커를 번호판과 내 얼굴에 붙였어. 제대로 쓰라림을 느낀 날이지. 당나귀 스티커가 어찌나 안 떨어지던지 아주머니가 망할 놈이란 단어를 랩처럼 중얼거렸거든. 그래, 전단지 아르바이트생도 기억나. 감시카메라가 있는지 살피는 것 같았어. 남자는 구레나룻을 엄지와 검지로 잡아당겼어. 버릇 같았지. 남자는 4층에서 내렸어. 나야 뭐, 또 멍하니 바라만 봤지. 그 이전으로 기억을 더듬어보면 말이야. 새벽, 그래 범죄는 새벽에 많이 일어나지. 난 밤과 낮이 따로 없지만, 사람들은 다르잖아. 사람들의 밤은 헝클어진 여자의 머리카락 같아. 그런 밤, 래커맨은 관리소 아저씨가 텔레비전을 켜둔 채 잠이 든 순간에 찾아올지도 몰라. 잠깐, 새벽에 누군가 왔었어. 그래 맞아. P 모자를 쓴 남자야. 링 귀걸이가 부녀회장에게 한 말은 그래, 거짓말이야. 이제 생각나. 파우더를 바르던 여자가 링 귀걸이에게 건네던 싸인 말이야. 뭔가 숨기는 눈빛이었거든.

새벽 두 시에 엘리베이터를 탔을 때 링 귀걸이는 분명 혼자가 아니었어. 링 귀걸이는 눈썹이 짙은 남자의 옆구리에 안겨 있었지. 술을 마셨는지 무릎이 꺾여 엘리베이터 내에 설치된 손잡이를 부여잡고 남자에게 눈을 흘겼어. 남자는 링 귀걸이의 미니스커트 안으로 큰 손을 집어넣었지. 링 귀걸이는 짧게 신음을 뱉어냈어. 나는 링 귀걸이 옆에 서 있었어. 그들은 간혹 나를 바라보며 야릇한 미소를 흘렸어. 좀 더 야하게. 링 귀걸이는 남자의 귓가에 속삭이듯 말했어. 6층까지 가는 시간은 12초가 걸렸지. 남자는 12초 동안 링 귀걸이의 허벅지를 주물렀어. 그때 남자가 나를 돌아다봤어. 내가 있다는 것을 남자가 눈치챌까 봐 조바심이 났어. 남자는 눈치채지 못했지. 남자가 나를 바라보며 구레나룻을 매만졌지. 전단지 아르바이트생이 그랬던 것처럼 말이야. 난 링 귀걸이의 붉은 브래지어 끈을 보고 있었어. 남자가 가슴에서 손을 뺐어. 엘리베이터가 멈추고 문이 열리자 P자가 새겨진 검은색 모자를 쓴 남자가 보였어. P 모자는 링 귀걸이가 나갈 수 있도록 옆으로 비켜섰어. P 모자의 얼굴은 보이지 않았어. 검은색 가방을 들고 있었지. P 모자는 고개를 숙이고 있어서 겨우 코와 입술만 보였어. 링 귀걸이와 남자가 엘리베이터에서 내리자 P 모자는 닫힘 버튼을 누른 다음 11층 버튼을 눌렀어. 링 귀걸이의 구둣발 소리가 들리지 않았지. 나는 링 귀걸이가 복도 바닥에 주저앉은 줄 알았어. 눈에 보이지 않으니 그렇게 생각할 수밖에 없었지. 층당 2초가 걸리고 문이 닫히고 열리는 사이 2초가 흘렀어. P 모자는 오른편에 매고 있던 가방을 왼편으로 옮겨 맸어. 난 남자의 얼굴을 정확히 볼 수 없었지. P 모자는 나를 전혀 신경 쓰지 않았어. 내가 뒤에 있는지조차 모르는 것 같았어. 지금도 래커맨은 붉은색 래커를 들고 어디에선가 숨어 널 지켜보고 있어, 라고 중얼거리고 있을지 몰라. 그녀의 현관문에 칼을 그려 넣은 사람은 P 모자일 거야.

사람들은 팔짱을 끼고 무어라 숙덕거려. 아파트 전체

회의 시간이 가까워졌거든. 각 층을 대표하는 사람들과 평상복을 입은 조은통닭과 피자마니 청년도 엘리베이터를 탔어. 10층 사람들은 모두 참석해야 했지. 왜 그녀의 현관문에 칼을 그려 넣었는지, 그녀와 원한 관계라도 있는지 사람들은 궁금해했어. 도대체 그게 왜 궁금할까. 그녀를 제대로 알지도 못하면서 말이야.

사실 나도 그녀를 잘 몰라. 이름조차 모르거든. 하지만 그녀는 겨우 두 번째 남자를 집으로 데려왔을 뿐이야. 첫 남자는 술주정이 좀 심했지. 종종 다투는 모습도 봤어. 하지만 그녀를 숨어서 지켜볼 이유는 없어 보였어. 엘리베이터 안에서 이참에 불만 사항을 회의에서 꺼내자, 는 이야기를 나누는 사람도 있었어. 사람들이 내리고 난 10층에 서 있어. 그녀는 아직 퇴근하지 않은 모양이야. 그녀가 1층에서 버튼을 누르기만 하면 난 20초 만에 그녀에게 갈 수 있어. 누군가 1층에서 버튼을 눌렀어. 엘리베이터가 움직여. 문이 열릴 때 그녀가 내 눈앞에 서 있으면 좋겠어.

엘리베이터가 멈추고 문이 열려. 링 귀걸이야. 뒤에 파우더도 서 있군. 파우더 옆에 그녀가 보였어. 그녀야. 내가 말한 그녀. 그래, 프리지어 꽃향기를 맡던 그녀야.

힘이 없어 보여. 그녀도 궁금할 거야. 도대체 누가 자신의 현관문에 칼을 그려놓았는지 말이야. 10층에서 문이 열리자 그녀가 먼저 내렸어. 부녀회장 집으로 가는 것 같아. 현관문이 열렸는지 사람들의 소리가 들려. 링귀걸이가 귀에서 링을 빼면서 말했어.

"저 여자, 수상하지 않아?"

그녀를 두고 하는 말이라는 것을 알아.

"듣겠다."

파우더가 말했지. 두 여자는 이미 그녀를 의심하고 있었어. 그녀가 내리고 여자 둘도 뒤늦게 엘리베이터에서 내렸지. 그녀에게 묻고 싶어. 그녀가 지나가고 현관문을 여닫는 소리가 들렸어. 엘리베이터 문이 닫혔고 난 또 혼자야. 눈에 보이는 게 전부인 내가 무얼 할 수 있겠니. 사람들을 기다리면서 나는 잠깐 졸았어. 내게는 사람들이 말하는 밤과 낮이 따로 없으니 사람들이 뜸한 시간에 눈을 붙여야 해. 난 회의를 끝낸 사람들이 각자의 집으로 돌아가는 것을 지켜보다 잠이 들었어. 밀려오는 잠을 참을 수 없었어. 눈이 자꾸 감겨. 잠깐 기다려줘. 눈 좀 붙이고, 미안해. 그녀의 반듯한 이마와 웃을 때면 잡히는 눈주름과 왼편 눈꼬리에서 꿈틀거리던, 작게 돋은 점이 보고 싶어.

엘리베이터가 움직여. 나는 엘리베이터가 움직이는 소리에 잠에서 깨어났어. 조명등에 눈이 부셔. 낮일까 밤일까. 5층이었어. 13층 버튼에 불이 들어와 있었지. 모자를 쓴 남자가 서 있었어. 검은 옷을 입고 있었지. 혹시 P 모자가 아닐까. 엘리베이터 문이 열리고 모자를 쓴 남자가 발을 내딛자 복도에 불이 켜졌어. 불이 켜진 것을 보고 나는 아직 밤이라는 것을 알았지. 아마 새벽일 거야. 복도는 조용하고 사람들도 보이지 않았거든. 만약 내일 낙서가 되어 있다면 저 남자가 범인일지도 몰라. 그리고 분명 P자가 새겨진 모자일 거야. 아니, 다른 모자여도 상관없어.

10층으로 올라가고 있어. 10층에서 누군가 버튼을 누른 모양이야. 난 엘리베이터가 올라갈 때면 동아줄에 매달려가는 두레박 같다고 생각해. 피곤해. 내가 간신히 눈을 떴을 때 엘리베이터 안에는 아무도 없었어. 엘리베이터가 멈추고 문이 열렸어. 간밤에 수상한 남자 때문에 잠을 설쳤잖아. 미안해, 잠깐 기다리게 해놓고 잠들어 버렸어. 눈앞이 흘려 앞이 잘 보이지 않아. 실

눈을 뜨고 앞을 바라봐. 그녀다. 맞아, 그녀야. 난 눈이 단박에 떠졌어. 내 코에 붙은 돼지코를 보고 그녀가 웃을까 걱정됐지만 난 그녀를 바라봤어. 그녀는 오랫동안 울다 온 사람 같았어. 난 그녀의 부은 눈을 바라봤어. 엘리베이터를 타면 그녀는 내게 등을 보이거든. 나를 보는 건 아주 드물어. 그녀가 누군가에게 전화를 걸었어.

"다들 날 의심해. 우리 집 현관문에만 칼을 그려놓고 가서……."

그녀는 누구에게 전화하는 걸까. 그녀를 지목한 것은 부녀회장이었어. 그녀의 현관문에만 칼을 그려놓고 갔기 때문일 거야. 그런데 그녀를 의심할 만한 정황이 없잖아. 내가 잠든 사이, 아니 잠깐 졸았던 순간 래커맨이 왔다 갔을 거야. 그래, P 모자가 틀림없을 거야.

그녀가 이사를 오기 전, 아파트를 구경하러 왔던 한 남자와 여자가 떠오르긴 했지만 그건 몇 달이나 지난, 내게는 까마득히 먼 기억의 일이야. 너라면 하루에도 수십 번씩 오르락내리락하는 어지러움을 견디며 살 수 있겠니. 밤과 낮이 없는 내가 그 수많은 얼굴들과 표정을 무슨 수로 다 기억하겠니. 그녀가 뒤돌아 나를 바라봤어. 그녀는 심각해 있었어. 문이 닫혔는데도 버튼을 누르지 않았지. 전화기 속의 상대방은 그녀의 말을 이해하지 못하는 것 같았어. 그녀의 미간이 좁힐 대로 접혔거든. 처음 보는 그녀의 표정이야. 그녀가 내 앞으로 조금 더 가까이 다가왔어. 휴대폰에서 남자의 목소리가 작게 들렸지. 그녀는 겁에 질린 표정이었어.

"그게 아니고, 그 사람이 자꾸 찾아오는 것 같아."

그녀의 눈 밑에 마스카라 가루가 점점이 떨어져 있는 게 보여. 그녀는 입술을 지그시 깨물었어. 그녀가 휴대폰을 닫아버렸어. 그녀의 눈이 빛나. 순간 눈물이 흘렀어. 그녀가 눈을 깜박이자 마스카라가 눈 밑에 까맣게 번졌지. 그녀의 눈물을 닦아주고 싶어. 그녀가 말하는 그 사람은 누굴까. 그때 엘리베이터 조명등이 퍽, 꺼졌어. 갑자기 조명등이 꺼지는 바람에 그녀의 얼굴이 커졌다 작아졌다 반복하는 것 같았어. 이게 어둠인가. 난 밤을 몰라. 아무것도 보이지 않아. 조명등 모양의 흑점이 눈을 깜박일 때마다 옮겨 다녀. 어디에 있어! 나는 아직 그녀의 이름을 몰라. 울고 싶지만, 눈물이 나오지 않아. 어디에 있는 걸까. 왼편에서 그녀의 우는 소리가 들렸어. 그러던 그녀가 오른편으로 가 버튼을 마구 눌렀지.

“누구 없어요? 정전됐어!”

그녀가 소리를 질렀어. 밖에서 누군가 엘리베이터 문을 두드렸어.

“사람 있어요?”

밖에서 여자 목소리가 들렸어. 내가 이렇게 서 있는데도 그녀는 무서워하고 있어. 눈을 감아요, 그녀에게 말하고 싶어. 그녀가 지쳐 바닥에 쭈그려 앉는 소리가 들렸어. 아무것도 보이지 않아. 그녀가 내 아래 쭈그려 앉았다는 것을 직감적으로 알았지. 따뜻함. 그래, 그녀의 팔딱이는 심장과 입김이 전하는 것들을 나는 느껴. 나는 몸이 차가우니까 그녀의 체온이 그대로 느껴져. 돼지코 스티커가 붙여진 자리가 자꾸 간지러워. 그녀의 숨소리가 들려. 숨소리가 일정하지 않아. 아직도 울고 있구나. 조용히, 숨소리로만 느낄 수 있는 그녀의 울음이야. 그녀의 어깨가 아주 작게 떨리는 게 느껴져. 그녀가 내 앞에서 우는 것은 두 번째야.

그래, 내가 말했던 첫 번째 남자 때문이야. 그녀의 카드를 빌려 쓴 뒤 그녀에게 카드빚을 남기고 훌쩍 떠난 놈이지. 그녀는 우편함에서 카드 명세서를 들고 올

때마다 발걸음이 느려졌어. 엘리베이터 문이 닫히고 있었어. 그런데도 그녀는 아주 천천히 걸어오고 있었어. 우편함에서 엘리베이터까지는 여섯 발짝 정도야. 그녀는 카드 명세서를 보면서 그놈을 떠올리는지, 돈을 어떻게 갚을 것인가를 고민하는지 알 수 없었어.

그녀가 그놈에게 뺨을 맞고 엘리베이터에 주저앉아 울었던 것도 기억나. 차라리 엘리베이터 문이 열리지 않기를, 세상이 온통 정전되었으면 좋겠어. 내가 그녀를 이렇게 온몸으로 안아 주고 보호할 수 있는데 이렇게 혼자 있다는 게, 이 어둠 속에서 울고 있다는 사실이 쓸쓸하고 두려운가 봐. 내가 그녀를 보호할 수만 있다면 래커맨도 부녀회장도 그녀에게 작은 상처 하나 줄 수 없을 텐데 말이야. 두 번째 남자가 아니라 열 번째 남자여도 상관없고, 하루에 열 번을 짜증을 낸대도 그녀를 바라볼 자신이 있어. 그녀의 옛 남자가 래커맨이라도 상관없어.

그때였어. 돼지코 스티커가 바싹 와닿는 느낌이 들었어. 누군가 입김을 불어 넣듯 돼지코 속으로 바람이 빨려 들어왔지. 바람에서 냄새를 맡았어. 영업사원의 오줌 지린내가 냄새에 섞여 있을 테지. 그래, 그녀의 냄새. 그녀의 샴푸 냄새일까. 그녀의 머리칼에서 희미하게 냄새가 올라왔어. 어떤 냄새인지 모르겠어. 비누 냄새일까. 처음 맡는 그녀의 향기야. 그래, 총무와 부녀회장이 샴푸와 보디클렌저, 비누가 담긴 바구니를 들고 엘리베이터를 탈 때마다 그들의 볼이 붉게 달아올라 있었던 것이 떠올라. 붉게 달아오른 볼에서 풍겨왔을 향일 거야. 맞아, 프리지어 꽃향기! 그녀가 맡던 프리지어 꽃향기였으면 좋겠어. 프리지어 꽃향기일 거야.

그래, 남자가 그녀에게 건네던 꽃다발이었어. 남자는 여자를 쫓아다녔지. 엘리베이터 안은 사람들로 분주했어. 퇴근 시간이었고 마트 봉지를 들고 있는 사람도 보였지. 그들은 숫자판을 올려다보거나 유튜브 영상을 보고 있었어. 그녀는 엘리베이터 문 옆, 숫자판 앞에 서 있었어. 나는 사람들 틈 사이로 그녀를 훔쳐봤지. 그녀의 어깨 위로 흘러내린 머리칼을 보고 있었어. 그녀가 거기 서 있었기에 난 볼 수 있었어. 그때 남자가 그녀의 뒤로 자리를 옮겼어. 남자의 손에는 노란 꽃다발이 들려 있었지. 남자는 그녀에게 꽃다발을 건넸어. 프리지어네, 향기 좋다! 그녀의 경쾌한 목소리가 들렸어. 나는 그녀의 웃는 모습을 볼 수 없었지. 아마 그녀는 프리지어 꽃향기를 맡고 있었겠지. 그녀가 맡는 프리지어 향기를 맡고 싶었어. 그녀가 흘러내린 머리칼을 귀 뒤로 쓸어 넘겼지. 그녀가 10층에서 내리기 전까지 프리지어꽃에 코를 묻고 향기를 맡고 있었어.

난 그녀가 맡았을 향기를 생각하고 생각했어. 비누향인지 샴푸 향인지 알 수 없지만, 프리지어 꽃향기라고 생각해버렸어. 난 사람들의 모습이나 표정을 보고 그들의 마음을 읽어 내거나 제멋대로 생각하는 것에 푹 빠져있었거든. 래커맨이 그녀를 노린 거라면 프리지어 꽃향기 때문일지도 몰라. 우습지. 내 머릿속에는 온통 프리지어 꽃다발을 들고 서 있던 그녀의 모습이 머릿속 가득 겹치고 겹쳐 거대한 꽃망울이 되고 있어. 난 현실의 그녀에게서 점점 멀어져가. 눈앞이 흐려져. 그때 엘리베이터 문밖에서 두드리는 소리가 들렸어. 불이 켜진 걸까. 제발 이대로 그녀와 있게 해줘. 의식이 가물가물해져 가.

무엇인가 바닥에 쓸리는 소리에 눈을 떴어. 머리가 지끈거려. 간신히 눈을 떠보니 물청소하는 아주머니가 밀걸레질하고 있었어. 그녀는 없었지.

"망할 놈의 인간들이 여기가 뒷간이야. 지린내."

내가 잠이 든 사이 누군가 오줌을 싸놓은 모양이야. 그녀는? 그녀의 눈물은 저 구정물 속에 섞여 있을까. 그녀는 무사히 집으로 돌아갔을까. 아! 이 냄새. 청소 아주머니가 말하는 지린내가 맡아져. 신기해. 이게 사람들이 말하는 지린내구나. 돼지코 스티커를 통해 맡아지는 지린내가 기억해 둔 프리지어 꽃향기를 짓밟았어. 그때 아주머니가 바닥에서 넥타이를 주워 들었어. 밀걸레에 물을 묻혀 여러 번 바닥을 닦아내고 아주머니는 들고 있던 넥타이를 비닐봉지에 담았어. 은색 바탕에 연보랏빛 세로줄이 무늬를 이룬 넥타이야. 자동차 영업사원의 것이지. 영업사원은 새벽에 술에 취해 돌아왔을 거야. 아파트 전체 회의에 가지 않았으면 영업사원에게 화살이 돌아갈지도 몰라. 아주머니가 때 묻은 수건으로 번호판과 내 얼굴을 닦았어. 돼지코 스티커가 물에 젖었어.

"어른, 애들 가릴 것 없이 형편없어!"

청소 아주머니는 연신 얼굴을 찡그리며 화를 냈어. 돼지코를 붙이던 개나리색 유치원복을 입은 아이가 떠올라. 아주머니가 돼지코 스티커 한쪽 귀퉁이를 손톱으로 긁어댔어. 귀퉁이가 일어나자 냅다 벗겨냈지. 돼지코 스티커가 반쯤 잘려 나가 버렸어. 제발 뜯지 마. 돼지코를 뜯어버리면 그녀의 향기도, 래커맨을 잡을 증거인 래커 냄새도 맡지 못하게 될 거야. 무엇보다 링 귀걸이와 영업사원의 냄새도 맡고 싶어. 아주머니는 뜯지 못한 돼지코를 걸레로 닦았어. 걸레에서 알 수 없는 냄새를 맡았어. 그 냄새를 아주머니가 뭐라 정리해 주면 좋겠지만 아주머니의 얼굴에는 정말이지 청소부 일을 때려치우고 싶을 정도의 짜증이 난 표정이었어.

한쪽 코에서만 냄새가 맡아졌어. 지린내와 함께 기억해둔 프리지어 향, 아주머니의 가슴에서 풍기는 냄새가 맡아져. 아마 비 오는 날 엘리베이터 안의 냄새가 그러지 않을까, 생각해봤어. 지린내와 프리지어 향 밖에 아직 모르잖니. 비 오는 날 술에 취해 들어온 영업사원의 셔츠 소매에서 나는 냄새도 비슷할 거야. 돼지코 스티커를 통해서 냄새를 맡게 됐다니 신기할 따름이야. 그때 총무가 계단에서 내려오는 게 보였어. 총무는 코를 움켜쥐며 말했어.

"음, 지린내. 오늘은 청소를 오래 하네. 9층에서부터 걸어왔잖아."

총무와 아주머니는 안면이 있는 사이야. 아주머니는 뒤도 돌아보지 않고 내 얼굴을 닦으며 말했어. 나는 아주머니의 얼굴과 총무의 얼굴을 번갈아 보고 있었어. 아주머니는 뒤를 돌아다보는 시늉만 하고 곧 내 얼굴을 닦으며 불만 투로 말했지.

“어떤 망할 놈이 오줌을 지려놓고 갔어.”

아주머니는 걸레를 물이 담긴 통에 처넣었어. 구정물이 바닥에 튀었지. 총무는 과장되게 구정물을 피하는 시늉을 했어. 나는 얼굴이 온통 젖어서 꿉꿉했지.

“커피 향 방향제 설치할 거야. 이십 분마다 한 번씩 자동 분사되니까 악취는 감춰질 거야.”

총무가 밖으로 나가 관리소 앞에 놓인 의자를 끌고 왔어. 관리소 아저씨도 따라 들어오는 게 보였지. 총무가 들고 있던 방향제를 관리소 아저씨가 왼쪽 천장 아래에 야무지게 달았어. 난 총무가 말하는 지린내와 커피 향을 구분하고 싶어.

“래커맨은 누구야? 회의했다며.”

아주머니가 걸레로 엘리베이터 번호를 닦으며 말했어.

“6층에 사는, 그 링 귀걸이 차고 다니던 여자 말이

야. 옛 남자친구 같기도 하고 10층 사람 중에 있는 것 같기도 하고 아직은 잘 몰라."

칙. 방향제가 빨간 불빛을 깜빡이며 커피 향을 내뿜었어.

"진짜 커피 향이네."

아주머니가 방향제를 올려다봤지. 돼지코로 커피 향이 몰려 들어왔어. 돼지코가 한쪽만 남으니 향이 짙게 맡아졌어.

"래커맨 잡으려다 뭐 하는 건지 모르겠어. 쾌적한 공동생활을 위한 계획의 일부이긴 해도 사람들이 래커맨 일에 아파트 건의 사항까지 곁들여 말하잖아."

총무가 열림 버튼에서 손을 뗐어. 난 사각의 공간에 혼자 남았어. 커피 향 때문에 머리가 아파.

5층에서 누군가 엘리베이터를 누르는 게 느껴져. 잠깐 졸았나 봐. 머리가 아파서 눈 좀 붙이고 있었거든. 엘리베이터가 멈추고 문이 열려. 밖은 어두워. 새벽인가. 모자를 쓴 남자야. P인가. 그래, 6층에서 탔던 P 모자야. 난 남자의 모자를 떠올렸어. 남자가 12층과 닫힘 버튼을 순서대로 지그시 눌렀어. 남자는 나를 보지 못했지. 아파트 주민들이 날 그림자처럼 대하듯 남자도 나를 보지 못했을지도 몰라. 오늘은 P 모자를 쓰지 않았어. 남자가 래커맨이라는 증거는 없지만 10층에서만 내리지 않는다는 게 수상해. 래커맨이라는 단서를 찾아야 해. 남자가 날 바라보거나 내 앞에 더 가까이 오기를 기다리는 수밖에 없어. 9…10…11…12층. 남자가 엘리베이터 문 중앙에 섰어. 칙. 커피 향이 엘리베이터 안에 분사됐지. 난 남자의 냄새를 맡고 싶어. 이젠 다 틀렸어. 남자에게서도 커피 향이 맡아지잖아. 커피 향 때문에 남자의 본연의 냄새를 맡을 수가 없어. 머리가 아파. 지린내를 왜 사람들은 커피 향으로 감추려고 하는 걸까. 이해할 수 없어.

그때 남자의 목덜미에 돋아난 까만 점이 보였어. P 모자가 확실해. 한 달 전에 나타났던 남자 말이야. 한 가지 물건에 애착을 보이는 사람은 사람에게도 집착하는 경우가 많잖아. 남자의 가방에 분명 래커가 들어 있을 거야. 12층에서 내린 남자는 계단을 이용해 10층으로 내려갈 것이고 복도에 아무도 없는 것을 확인하고 가방에서 빨간색 래커를 꺼낼 것이 틀림없어. 난 남자의 까만 점을 오래도록 생각하고 생각했어.

그녀는 남자친구와 함께 10층에서 엘리베이터를 탔어. P 모자가 내리고 커피 향이 분사되고 난 후니까 이십 분이 지났나 봐. 그녀의 머리카락이 젖어 있었어. 남자는 그녀의 뒤에서 머리카락에서 풍기는 샴푸 향을 맡고 있었어. 그녀의 뒤에서 음흉한 미소를 흘리며 그녀의 머리카락에 코를 가져다 대는 모습이 싫었어.

"정말 그 남자면 어떡해?"

"모른 척해."

남자가 냉정하게 말했어. 그녀에게서 옛 남자의 이야기를 전해 들은 남자는 기분이 썩 좋지 않았겠지. 마음에는 온갖 질투가 모양을 달리하고 있을 테니까.

"언제 또 만나지?"

그녀가 웃으며 말했어. 치아를 살짝 드러내며 소리 없이 없는 미소. 그녀의 화장기 없는 맨얼굴에 잘 어울리는 미소야. 기억해두었던 그녀의 프리지어 향기가 생각나질 않아. 그녀의 얼굴에서 커피 향이 맡아지는 것 같아.

"발이 참 예뻐."

남자는 고개를 숙여 그녀의 발을 내려다봤어. 나는 그녀의 발이 보이지 않아. 그녀의 허리선까지만 볼 수 있는 내가 때론 답답해. 볼 수 없다는 것이, 보지 못하는 또 다른 세상이 있다는 것이 날 괴롭혀. 칙. 남자도, 그녀도 온통 커피 향으로 맡아져. 두 눈을 감았어. 아니, 감고 싶어. 그녀가 남자의 이마에 입술을 가져다 댔어. 그때 그녀의 귀에 걸린 귀걸이가 반짝거렸지. 연둣빛의 작은 리본 아래 큐빅이 박힌 나비 모양의 귀걸이야. 그녀가 움직일 때마다 큐빅이 박힌 나비가 조명등 불빛에 반사됐어. 나는 순간 눈을 감았어.

남자가 가고 P 모자가 계단에 숨어 있을지도 몰라. 조심해요. 난 그녀에게 말해주고 싶어. 남자를 만나고 있는 모습을 P가 숨어서 지켜봤을지도 몰라. 조심해요. 난 커피 향으로 범벅된 그녀에게 말해주고 싶어. 싸구려 커피 향. 너희들은 싸구려 커피 향이야. 난 너희들을 지켜보는 것에 질렸어. 그녀에게 맡아지는 향기를 알고 싶어. 그녀만의 향기, 너만의 냄새 말이야. 온통 커피 향으로 맡아져. 남자는 모를 거야. 그녀가 즐겨 마시는 우유와 좋아하는 색, 걸을 때 어느 발을 먼저 내딛는지 남자는 모를 거야. 그녀의 왼편 얼굴이 더 예쁘다는 것도. 남자가 그녀에게 원하는 건 그녀의 도톰한 귓불과 허벅지쯤일 거야. 차라리 그랬으면 좋겠어.

도무지 남자에게는 어떤 냄새도 맡을 수 없어. 저 싸구려 커피 향 밖에는.

저녁에는 정신이 없어. 아침에 기억해두었던 사람들의 표정 변화를 생각하거든. 퇴근할 때쯤 그들에게 무슨 일이 벌어졌을지 상상하는 재미 말이야. 밖에서 남자 목소리가 들렸어. 문이 열렸지. 영업사원이야. 아침에 들고 갔던 가방을 들고 있지 않았어.

"내가 우슈어?"

영업사원은 비틀거리며 엘리베이터 안으로 들어왔어. 난 한참을 생각하고 나서야 우슈어가 우스워, 라는 말이라는 걸 알았어. 그때 커피 향이 분사됐어. 영업사원에게서 커피 향이 맡아져. 엘리베이터 안은 온통 커피 향으로 뒤덮였어. 차라리 돼지코 스티커를 떼버리고 싶어. 그랬다면 프리지어 향기도 몰랐을 텐데 말이야. 그녀의 향기가 프리지어 향이라는 것도 내 추측일 뿐이잖아.

영업사원은 10층을 누르지 못하고 손이 가는 대로 번호를 마구 눌러댔어. 엘리베이터는 4층에서도, 6층, 8층에서도 멈췄어. 10층에서 누군가 버튼을 눌러뒀나 봐. 영업사원은 나를 노려봤어. 그때였어. 영업사원이 주먹을 쥐는 게 보였어. 그다음은 몰라. 그래 주먹이 가까이 다가왔는데 도무지 생각이 안 나. 정신을 잃은 것 같아. 10층에서 문이 열리고 그녀가 보였어. 아니, 말라버린 프리지어 꽃다발을 보고 그녀라는 것을 알았어.

그녀가 소리를 질렀어. 난 눈이 부셨어. 그녀의 얼굴과 팔, 그리고 손목이 차례로 보였어. 프리지어 꽃다발은 퍼즐 조각처럼 보였지. 그녀가 뒤로 물러섰어. 영업사원이 엘리베이터 바닥에 주저앉았어. 신기하게도 바닥을 보지 못했던 내가 바닥에 주저앉은 영업사원의 모습이 보였어. 영업사원은 울고 있었어. 그 모습이 거인처럼 커다랗게 확대되어 보였어. 날카롭게 뾰족해진 내 눈은 그녀의 발을 내려다보고 있었지. 그녀는 겁에 질린 표정으로 열림 버튼을 서둘러 눌렀어. 남자의 손등에서 흐르는 피 때문이었는지도 몰라. 내 눈에 영업사원이 흘린 피가 뚝 떨어졌어. 뒤축이 닳은 그녀의 샌들도 보였지.

그녀의 샌들을 보는 것도 처음이야. 그녀의 발등을 처음 봐. 가늘고 긴 발가락과 살이 없어 도드라진 핏줄

들이 샌들 속에서 꿈틀대며 살아있어. 복숭아뼈에 단단한 굳은살이 노랗게 보였어. 유난히 긴 검지 발가락까지 빠짐없이 보고 있었지. 그녀의 발이 예쁘다던 남자의 말은 거짓말이었어. 그녀의 발은 못생겼지만 단단해 보였어.

나는 돼지코 스티커가 붙어 있는 깨진 유리를 간신히 오른편 끝에 붙어 있는 유리 조각으로 오래도록 바라봤어. 칙. 그녀에게서 싸구려 커피 향이 나. 그때 계단으로 후다닥 뛰어 내려가는 사람이 보였어. 누구지. 기억이 잘 나질 않아. d가 모자에 새겨져 있었어. 그래, 그것은 P였어. 난 널 지켜보고 있었어.

*태양광판을 이용해 고개를 끄덕거리면서 움직이는 인형.

춤추는 은하로

춤추는 은하로

거리는 어두웠다. 연서는 상자 속에 담겨 있는 인형처럼 편의점 상자 안에서 창밖을 바라보고 있었다. 자정을 넘긴 길거리에 술에 취한 젊은 남녀가 부둥켜안고 한참을 서 있었다. 여자는 남자 품에서 울고 있었다. 길 건너편에는 교복을 입은 남학생 두 명과 한 남자가 정지신호를 받고 서 있었다. 새벽 1시. 남자는 전봇대처럼 우뚝 서서 어딘가를 바라보고 있었다. 신호가 바뀌자 하늘을 한번 쳐다보더니 편의점으로 곧장 걸어 들어왔다. 남자의 이마에 가로등 불빛이 굴절되었다.

남자는 사탕이 진열된 자리를 지나 화장지와 양초 따위가 놓인 생필품 판매대에 멈춰 섰다. 그리고는 무언가를 집어 들었다. 남자가 서 있는 자리는 생리대와 콘돔이 있는 선반 위치였다. 남자는 계산대 앞에 콘돔 상자를 내려놓았다. 상자에는 힘센 머슴의 그림이 프린트되어 있었다. 상자를 내밀 때 언뜻 남자의 이마에 굴절된 빛을 보았다. 연서는 잠시 머뭇거린 후 고개를 숙인 채 바코드를 찍었다.

오래전 절벽에 핀 작은 꽃처럼 하얗게 웃던 그의 모습이 떠올랐다. 그는 창문에 기대어 사월의 햇살을 온몸으로 받고 있었다. 창밖을 바라보고 있던 그의 이마에 흰빛이 쏟아졌다. 창으로 들어온 빛이 그의 이마에 뭉텅 모여 있었다. 봄 바다에 빛나는 은빛 물결처럼 눈이 부셨다. 그는 하얀 치아를 드러내며 힘없이 웃었다. 쌍꺼풀진 두 눈이 젖어 있었다.

남자가 돌아간 후 모자를 쓴 두 사내가 음흉한 미소를 지으며 담배 두 갑을 사 갔고 젊은 남녀가 라면과 전자레인지에 데운 만두를 먹고 갔다. 종종 고등학생으로 보이는 남학생들이 모자를 눌러쓴 채 술과 담배를 사 갔다. 술에 취한 남자가 들어와 편의점 내에서 술을 마시겠다며 생떼를 쓰거나 취급하지 않는 품목의 물건을 가져오라며 시비를 걸고 가기도 했다.

푸르스름하게 날이 밝아올 때쯤 연서는 라면 국물을 개수대에 버리고 손님들이 사간 물건을 다시 채워 넣었다. 유통기한이 임박한 삼각김밥으로 새벽의 허기를 달래고 다음 교대 근무자와 금고 정산을 마무리하면 그날 일은 끝이 났다.

"만 원이 비는데?"

"왜 또 그러지."

연서는 재차 만 원권을 세어보았다. 바코드 정산 내역과 금고의 액수가 맞지 않았다. 간혹 오천 원, 많게는 일 만 원이 비기도 했다. 언제 계산이 잘못되었을까. 아무리 헤아려봐도 기억나질 않았다. 연서는 모자를 썼다거나 술 냄새가 지독하게 났다거나 등의 특징들만 떠올랐다. 새벽에 다녀간 사람들을 떠올릴수록 정신은 점점 멍해졌다. 오고 갔던 사람들의 뒤통수가 허공에 둥둥 떠다녔다. 연서는 지갑을 열어서 일 만 원을 금고에 채워 넣었다.

연서는 아침이 밝아온 세상 밖으로 문을 밀고 나갔다. 편의점 앞 버스 정류장에는 출근을 서두르는 사람들이 모여 있었다. 피곤이 한꺼번에 눈으로 밀려왔다.

*

남자는 하루도 거르지 않고 편의점에 들러 콘돔을 사 갔다. 흰빛이 서려 있는 이마와 쌍꺼풀진 오른쪽 눈이 인상적이었다. 연서는 상자 뒷면에 붙은 바코드를 찍고 남자의 오른쪽 눈을 바라보며 물건을 건넸다. 남자가 편의점에 다녀간 후로 사장은 콘돔 매입 개수를 늘렸다. 콘돔을 선반에 채워 넣을 때마다 연서는 성냥갑 크기의 콘돔 상자를 마른 걸레로 닦고 또 닦았다. 그럴 때마다 남자의 이마와 그가 상그레하게 웃는 모습이 겹쳐 떠올랐다. 어딘가에서 바다 냄새가 났다.

그즈음 연서는 꿈에 시달렸다. 담배 세 개비를 연달아 피운 것처럼 어지러운 나날이었다. 좋아하는 것들에서는 바다 냄새가 났다. 보길도를 향하는 여객선 난간에 기대고 있을 때, 비 내리는 날 내소사 전나무 숲길을 거닐던 그의 뒷모습이나 잘 말린 하얀 티셔츠 따위에서 맡아지던 바다 냄새 같은 것들…….

연둣빛 잎사귀에 살이 오르기 시작하는 오월에 연서는 모든 것을 내팽개쳤다. 다니던 회사를 그만두고 한 달 후 편의점 일을 시작했다. 가족들은 연서의 이탈에 불만을 가진 채 노려보았고 주위 사람들은 사회에 적응하지 못하는 여자쯤으로 인식해 버렸다.

연서는 자주 아팠다. 마음속에서 무엇인가 물컹거리는 것들이 공기 방울처럼 피어올랐다가 제멋대로 터지곤 했다. 마음이 쓰린 것인지 속이 쓰린 것인지 알 수 없었다. 새벽마다 통증이 찾아왔고 깊은 잠을 이룰 수 없었다. 병원에서는 스트레스성 위염이라고 했다. 종종 몸이 공중에 떠 있는 기분에 사로잡혔다. 누구도 만나지 않았고 며칠 동안 똑같은 음악만을 들었다. 침대에 누워 흘러가는 구름을 멍하니 바라보곤 했다. 무엇을 해도 심심했다. 늦은 시각 놀이터 어두운 구석에서 키스하는 남녀를 오랫동안 바라보았다. 그들의 사랑이 천진난만하고 애틋해 보였다.

평소보다 오랜 시간을 들여 화장하거나 지우기를 반복하며 반나절을 보내기도 했다. 햇볕에 달구어진 자갈길을 걷는 것처럼 얼굴에 열기가 확확하게 달아올랐다가 식곤 했다. 틈만 나면 잠을 잤고 살갗은 소금꽃이 핀 다시마처럼 건조하고 버스럭거렸다.

오월의 햇살은 잔인하도록 눈이 부셔 종이에 스쳐 생긴 상처를 따갑게 했다. 무작정 더블 침대를 샀고 길거리를 걷다가 꽃이 핀 식물을 사들였다. 화분에 담긴 연둣빛 식물은 소담스럽게 핀 꽃을 떨어뜨리며 베란다에서 말라갔다.

오전 9시면 잠이 들었고 깊은 잠을 자지 못할 때면 홈쇼핑 채널을 틀고 멍하니 바라보다 홀린 듯 잠에 빠져들었다. 밤 11시, 편의점으로 출근할 때면 얼굴은 오래 끓인 어묵처럼 부어 있었다.

무수히 많은 함정을 파 놓고 달아났던 오월 어느 날의 오후, 그는 말했다. 사랑은 우물을 들여다보는 것처럼 어둡고 아득하다고, 우물의 깊이만큼 슬퍼하고 나서야 비로소 사랑이 되는 거라고……. 그때를 생각하면 잠을 자다 몇 번이고 뒤척이던 그의 하얀 허벅지와 바다 냄새가 떠오른다.

지나간 일은 떠올리지 않으려 했다. 길을 걷다 문득 발걸음이 멈춰지거나 타인에게서 권태와 슬픔이 느껴지더라도 지나가 버린 일을 또다시 헤집고 싶지는 않았다. 하지만 허술한 마음에서 물이 차오르거나 타인에게서 바다 냄새가 맡아질 때면 그의 이마와 함께 우물처럼 아득하고 섬광처럼 섬뜩한 순간들이 물방울처럼 떠올랐다. 되돌릴 수 없는 일들은 현실과 동떨어진 시간 속으로 빨려 들어갔다. 한때 스쳐 지나간 타인은 먼지와 먼지가 부딪혀 잠시 혼란스러운 상태가 되었다가 다시 떠도는 것과 마찬가지일 뿐이었다.

*

장마가 시작되자 거리에는 우산으로 얼굴을 가린 사람들이 어지럽게 지나다녔다. 거리는 습하고 지저분했다. 편의점 바닥을 자주 닦아주어야 했고 닦는 횟수만큼 남자와 연서는 서로의 얼굴에 익숙해져 갔다.

콘돔과 마스크를 산 남자는 한쪽 입술을 씰룩, 웃으며 무초 화분을 계산대 위에 내려놓고 갔다. 무초는 바짝 잎사귀를 오므린 상태였다. 최전방에서 근무하는 군인처럼 경계 태세를 갖춘 모양새였다.

연서는 장마가 계속되는 동안 서랍에 구겨 넣은, 쓰다만 쪽지나 빨지 못하고 세탁기에 넣어둔 빨랫감을 생각하며 시간을 보냈다. 바람이 거세게 부는 날에는 뒤집힌 우산을 버리고 울상이 되어 뛰어가는 소녀의 뒷모습을 오래도록 바라보기도 했다.

일을 끝내고 난 뒤에는 욕실에 들어가 시간을 들여

샤워를 했다. 천천히 꼼꼼하게 몸 구석구석을 닦아냈다. 말라가고 있는 식물에 물을 줘야 한다는 생각이 잠깐 들었지만, 행동으로 옮기진 않았다. 연서는 씻고 난 뒤에는 어김없이 홈쇼핑을 보다 잠에 빠져들었다.

모래바람이 열어 둔 창문을 통해 날려 들어왔다. 검은 모래는 방안 구석구석에 비집고 들어와 순식간에 넝쿨처럼 침대를 타고 기어올랐다. 도시의 불빛이 천정에 점점이 깜빡깜빡 빛났다. 검은 모래는 살아서 움직이는 개미처럼 무릎을 타고 올라 허벅지에 다다랐다. 서서히 자궁으로 들어와 내장 깊숙이 파고들자 몸이 활처럼 휘어졌다. 턱밑까지 차오른 모래 알갱이들이 마른 잎처럼 버스럭거린다. 속이 울렁거렸다. 검은 모래를 토해내려는 순간 흰빛으로 빛나던 그의 이마가 보였다.

연서는 벌떡 일어나 앉았다. 침대에 웅크리고 앉아 눈을 가늘게 뜨고 어둠이 잠식해 버린 방안을 휘둘러보았다. 검은 모래 같은 것은 없었다. 창문에 드리워진 커튼으로 도시의 야경이 스며들어 얼룩덜룩 빛이 번졌다. 손바닥이 축축했다.

그의 기억들이 지배하는 세포들은 축축하고 차가웠

다. 그는 뭐든 왼편에서부터 시작했다. 왼발부터 먼저 신발을 신고 왼손으로 마우스를 클릭했다. 무언가에 집중할 때면 훌쩍거리는 버릇이 있었다. 그런 그가 떠오를 때마다 연서는 손이 차가워졌다. 그의 기억들은 등을 서늘하게 휘감고 올라와 귀밑을 푸석푸석하게 했다. 5월 어느 날, 보길도 바닷가에서 갯돌을 밟으며 해조음을 들었던 그와의 마지막 여행이 떠올랐다.

동이 틀 무렵 그는 서둘러 연서를 깨웠다. 새벽녘에 갯돌을 치고 빠져나가는 파도 소리를 들으며 보길도 해변을 걷는 게 소원이라던 그였다. 하얀 포말이 갯돌을 집어삼키듯 덮쳐왔다. 밀려오는 파도에 놀라 우리는 잽싸게 갯돌에 올라서기도 했다. 그는 갯돌에 올라서다 미끄러져 엉덩방아를 찧었다. 젖은 옷자락을 움켜쥔 그는 엉덩이를 흔들며 헤프게 웃어댔다. 연서는 그 모양새가 우스꽝스러워 그를 따라 소리 내 웃었다. 웃음소리는 밀려드는 파도에 따라 묻혔다가 갯돌 굴러가는 소리와 함께 와글 솟구쳤다. 연서는 모양새가 제각기 다른 갯돌을 밟다가 자주 슬리퍼가 벗겨졌다.

서랍을 뒤졌다. 그에게 쓴 편지들이 메모지들과 뒤섞여 있었다. 연서는 흘림체로 휘갈겨 쓴 편지를 집어 들었다. 군데군데 눈물에 잉크가 얼룩진 글자가 눈에 띄었다.

권태로운 장마가 시작될 거야. 장마가 시작되기 전에 와줘. 폭풍이 몰아치듯 아니면 꽃이 피고 지는 것처럼 내게 와줘. 우리의 인연을 사소하게 생각하지 마. 3억 광년 떨어져 있어도 함께 빛나는 별처럼 있어줘. 그저 옆에 있어 줄래? 내 은하로 찾아와 우리 함께 춤출래? 그렇게 우리 빛나고 있자. 아무도 모르게.

연서는 편지를 책상 위에 내려놓으며 중얼거렸다.
'우리라는 말이 정말 어색하네. 아무 사이도 아닌 너였는데……. 왜 말없이 가버린 거야. 이제 어딘가에서 숨쉬고 있을 당신이 이 세상이 아닌, 다른 별 어디쯤 있을 것 같아. 4천만 광년은 떨어져 있을 것 같아.'

*

남자는 건너편 건물 2층 술집에서 만나자는 말을 남긴 채 전화를 끊었다. 연서는 머릿속에 하얀 먼지가 이는 것 같았다. 책상 위에 놓인 무초가 어둠 속에서 춤을 추고 있을 것만 같았다.

오른편 창가 쪽에 남자는 앉아 있었다. 남자의 어깨가 약간 젖어 있었다. 연서는 인사도 하지 않은 채 남자 앞에 앉았다. 경쾌한 음악 소리가 침묵을 대신하는 사이 남자는 오랫동안 입을 다문 채 술잔을 비우고 채웠다. 연서는 남자의 젖은 어깨를 바라보며 몇 가지 의문에 사로잡혔다. 연서는 가까스로 말을 꺼냈다.

"참 이상해요. 아니, 수상해요."

남자는 창문에 비친 연서를 바라보고 있었다.

"뭐가 그리 이상합니까."

연서는 편의점에서 콘돔을 사 가던 남자의 뒷모습을 떠올리고 있다가 뜨악한 표정이 되어 되물었다. 남자의 억양 때문이었다.

"중국에서 오셨어요?"

"윗동네요."

남자는 창문에 비친 연서를 힐끗 바라보며 웃었다. 창밖에는 색색의 우산들이 이리저리 움직였다. 우산을 쓴 남녀가 건널목을 건너고 있었다. 그때 연서는 베란다 바닥에 떨어진 마른 꽃잎이 떠올랐다. 남자는 맥주

잔에 소주를 가득 채웠다. 연서는 남자가 궁금해졌다. 이름과 나이, 직업이나 윗동네에서의 알 수 없는 어느 하루 정도. 남자는 가늘게 눈을 뜨고 창밖을 내려다보며 중얼거리듯 말했다.

"우물을 들여다보는 것처럼 깊고 아득한 일도 짧은 쾌락으로 잊을 수 있다면 평생 그리 살고 싶습니다."

연서는 왼쪽으로 고개를 돌려 남자의 쌍꺼풀진 오른쪽 눈을 바라보았다. 북에서 살던 사람이 앞에 앉아 있다는 사실이 증강현실을 경험하듯 낯설었다. 잔을 내려놓을 때마다 남자는 점점 취해 갔다. 그리고는 시들해진 푸성귀처럼 힘없이 말을 이어갔다.

"스무 살에는 풀죽 한 그릇 먹기도 힘든 시절을 만났습니다. 어머니는 영양실조로 잠든 채 돌아가셨고 여동생은 장염으로 고생하다 약 한번 써보지 못하고 보냈습니다. 가족이 일순간 사라진 스무 살은 그야말로 악몽이었습니다. 꽃제비 시절 배고픔보다 더한 사랑의 아픔도 경험했습니다. 죽음도, 사랑도 못할 짓이라 여겼습니다. 무리로부터 밤마다 폭행당하는 그녀를 돕지 못했다는 죄책감에 아직도 잠을 이룰 수 없습니다. 토하고 토해내도 사라지지 않고, 끝내 비울 수 없는 게 우리 같은 사람들의 삶입니다. 그저 살고자 배설할 뿐입니다."

남자는 퍼내도 수렁에 빠진 것 같다고 말했다. 연서는 마른 입술에 연신 침을 바르며 맥주를 홀짝거렸다. 취기가 올랐는지 남자는 머리를 쓸어올리며 자꾸 눈을 깜빡거렸다. 익숙해진다는 것은 언제나 침묵이 뒤따른다. 연서는 남자에게 아무 말도 해줄 수 없었다. 남자가 겪은 일들이 말로만 귀에 앵앵댈 뿐 상상조차 되지 않았다. 창밖에는 실밤 같은 빗줄기가 점점 굵어지기 시작했다.

*

연서는 벽 쪽으로 돌아눕는 것을 좋아했다. 벽이 어느 쪽에 있든 그것은 중요하지 않았다. 단지 앞을 턱, 가로막는 숨 쉴 수 없는 사랑을 하고 싶은 사고와 결부된 것이었다. 차가운 밥을 오랫동안 씹거나 혼자 영화를 볼 때, 생일날 케이크를 사서 자축하는, 외로운 기억과도 같은 사랑. 그러나 늘 바닥을 드러내는 일상이 덩그러니 남았다. 언제 사랑을 했냐는 듯이 이별을 맞았다.

처음으로 사랑이라 느낀 잔인하고 아름다운 기억의 파편들이 생각났던 것이 언제였을까. 보길도를 향하는 여객선에서 생크림 같은 물거품을 보았을 때였을까. 아니면 향일암 해우소 주변에 날아다니는 쉬파리를 보았을 때였던가. 순간 연서는 망가진 우산처럼 표정이 일그러졌다.

연서는 의자에서 일어나 커피가 든 잔을 들고 베란다로 나갔다. 베란다 바닥에는 말라 버린 식물이 화분에 담겨 있었다. 연서는 쭈그리고 앉아 식물을 내려다보았다. 푸석푸석하게 말라 버린 잎사귀를 손으로 비벼보았다. 그때 말라 버린 꽃잎 하나가 툭, 떨어졌다. 연서는 남은 커피를 화분에 부었다. '그래, 생은 너처럼 말라가라고 있는 건지도 몰라. 내동댕이쳐진 도마뱀 꼬리 같은 거야.' 연서는 마른 꽃잎을 내려다보며 작게 중얼거렸다. 책상 위에 놓인 무초는 난청에 걸린 염탐꾼처럼 조용히 있었다. 연서는 내려놓은 펜을 들고 다시 써 내려갔다.

귀 냄새. 등 냄새. 하얀 운동화. 무늬 없는 은반지.

시들어 버린 백합. 몽당연필. 당신을 생각나게 하는 단어야. 이제 당신 기억이 잘 나질 않아. 당신이라는 사람의 느낌조차 무감각해져 버렸어. 당신은 쓰다만 치약을 버리듯 나를 떠났지만 그런 당신을 잊지 않았어. 그런데 남자를 만나고 난 후부터 당신에게서 풍기던 냄새를 구분할 수가 없어. 사랑은 불가항력인가 봐.

당신, 지금 어디 있어? 이제 온전한 사랑은 하지 못할 것 같아. 내 마음은 듣지 못하거나 혹은 말을 못하는 병에 걸려버린 것 같아. 나는 당신에게 필요조건이었지 충분조건은 아니었으니까. 당신 잘못은 아니야.

누구나 어떤 나이쯤 되면 후회하는 일의 속성들이 비슷하듯 스무 살 때 처음으로 10대의 마지막을 그리워했어. 유두를 손바닥으로 톡, 치면 단단해진다는 사실조차 몰랐던 무지한 상태의 순수 말이야. 이젠 그런 마음가짐조차 잃어버렸어. 한 번도 읽은 적 없는 책을 누군가에게 선물하듯, 진실한 마음가짐 없이 타인을 만나고, 다투고, 사랑하고, 헤어지는 일상이 그저 반복되는 거겠지. 저울로 잴 수 없는 무게로, 가늠할 수 없는 속도로 그 순간으로만 우리는 남아있어. 이제는 좀 알 것 같아. 당신을 보낼 때가 된 것이겠지.

연서는 오른편으로 시선을 돌렸다. 베란다 바닥에는 마른 꽃잎이 작은 화분 옆에 몇 개 떨어져 있었다.

텔레비전을 켜고 드립커피를 내렸다. 뉴스 채널에서는 '스테판 5중주[1]'라는 5개의 은하군을 보도하고 있었다. 5개의 은하군 중 약 2억 8천만 광년 정도 떨어져 있는 최남단에 있는 타원은하[2]와 실제 은하군에 속하지 않은 은하[3]는 약 3,900만 광년이나 떨어져 있다고 했다. 연서는 각자 떨어진 거리와 달리 서로 마주한 채 빛나고 있는 스테판 5중주가 신기했다. 그 모양새가 휘몰아치듯 춤을 추는 것처럼 보였다. 연서는 커피를 한 모금 마셨다. 씁쓸하면서도 구수한 맛이었다. '당신과 나 같아. 옆에 두고도 당신이 어떤 생각으로 가득 차 있었는지 도무지 알 수 없었지. 엄청난 속도로 당신과 나는 멀어지고 있었는데 왜 나만 몰랐던 걸까.'

아나운서는 '내일 낮부터 본격적인 장마가 시작됩니다. 여름철 정체전선에 의해 시간당 100mm 안팎의 폭

---

1) Stephan's Quintet. 5개의 은하군
2) NGC 7317
3) NGC 7320

우가 예상됩니다'라고 사무적인 말투로 날씨 예보를 말했다. 장마가 지나면 무더위가 기승을 부릴 것이다. 가로수마다 매미 소리가 시끄럽게 울어대면 서늘한 바람이 가을을 몰고 올 것이다. 그는 사라졌고 계절은 바뀌고 있다. 계절이 가고 새롭게 찾아오듯 연서에게도 남자가 왔다.

*

처음 남자의 집에 갔을 때 신발장 옆 재활용 상자에 가득 쌓인 콘돔 상자가 보였다. 한 번도 사용하지 않은 새것들이었다. 작은 부엌이 현관 입구 왼편에 딸린 아담한 원룸이었다. 커다란 창문틀 아래 무초가 담긴 화분이 줄지어 놓여 있는 것이 한눈에 들어왔다. 연서는 베란다 바닥에 동그랗게 흙이 묻어 말라 있던 화분 자국이 떠올랐다. 남자가 건넨 커피잔을 탁자에 내려놓으며 말했다.

"쓰지도 않을 콘돔을 매일 하나씩 사는 이유가……."

남자는 콘돔을 사 갈 때처럼 담담한 표정으로 연수

의 말을 들었다. 먼 곳으로 말없이 떠날 것 같은 사람의 표정. 남자는 허공을 바라봤다. 쌍꺼풀진 오른쪽 눈이 풀려 있었다.

"처음으로 누군가를 만나고 밥을 먹고 사랑한다는 것은 참 불편한 일이야. 그것은 소나기처럼 금방 멈추기 쉽고 흰 운동화에 흙탕물이 튈까 염려하는 것과 같아. 첫 아이를 낳고 아내가 죽었고, 첫 탈북을 했을 때 젖먹이 아기를 형에게 맡겼야 했어. 처음 남한으로 와서는 정착금을 사기당했습니다. 형은 탈북한 나 때문에 추방당했고 아이는 보육원을 떠돌다 영양실조로 그만 갔어. 처음이라는 말은 나한테는 두렵다는 말과 같아. 나 때문에 누군가 죽고, 붙잡혀가는 건 무서운 일이야. 이해가 가나."

연서는 남자가 차려준 밥알을 천천히 오래도록 씹었다. 감자를 넣은 질은 밥에 삭은 파김치를 올려 먹는 남자를 연서는 다시 보지 못할 귀한 그림처럼 눈에 담았다. 그런 연서를 아는지 모르는지 남자는 연서의 밥 위에 잘게 자른 오이지를 자꾸 올려주었다. 오이지는 씹을 때마다 오도독 소리가 나면서 짭짤한 맛이 배어 나왔다.

연서는 장마가 물러간 동시에 편의점 일을 그만두었다. 편의점 입구에 깔아둔 종이박스가 빗물과 사람들의 발자국에 찢길 때마다 그의 기억을 하나씩 버렸다. 편지도 쓰지 않았으며 홈쇼핑도 보지 않았다. 다만 베란다 바닥에 남겨 있는 화분 자국은 그대로였다. 세탁기에는 며칠 전에 넣어둔 빨래가 가득 들어 있었다.

이른 새벽 어느 시골의 논두렁을 거닐기도 하고 한적한 마을에 스며들어 우줄기처럼 갯벌 속으로 들어가 아무도 모르게 살고 싶기도 했다. 등이 시릴 때면 수면제를 먹고 잠을 잤다.

*

연서는 화장을 짙게 하고 편의점에 갔다. 무대처럼 밝은 편의점 문을 밀고 들어갔다. 사탕이 진열된 자리를 지나 화장지, 생리대, 식염수, 양초 등의 생필품 판매대에 멈춰 섰다. 남자가 그랬던 것처럼 담담한 표정으로 힘센 머슴이 프린트된 콘돔 상자와 휴대용 화장지를 들었다. 계산대 앞에 서 있는 아르바이트생은 휴대용 화장지 뒤에 감춘 콘돔 상자를 보지 못했으리라.

연서는 얼른 주머니에 콘돔을 집어넣었다. 그리고는 계산대 앞으로 걸어가 화장지를 계산했다.

밖은 어두웠다. 주머니에는 콘돔 상자가 만져졌다. 연서는 남자가 사는 집 방향 쪽을 오래도록 바라봤다. 그리고는 휴대폰을 꺼내 남자의 번호를 찾아 통화 버튼을 터치했다. '이 번호는 없는 번호입니다'. 연서는 신호음이 들리는 휴대폰 액정을 멍하니 내려다봤다.

시작도 끝도 없이 연서를 에두른 남자의 기억이 회오리치듯 그의 추억을 굴절시켰다. 남자의 목소리와 그의 웃음소리가 한데 섞여 휘몰아쳤다. 이 거리에서 저 거리 끝으로 밀려 밀려나 이 마음에서 저 마음 끝으로 휩쓸려 되돌아왔다. Autumn Leaves가 흘러나왔다. 연서는 버즈를 눌러 주변 소음을 차단했다. 휴대폰 볼륨키를 한껏 올려 온몸으로 음악을 흘려보냈다. 한 김 식은 바람이 연서의 머리칼을 흩트려 놓았다. 가을이 오고 있었다.

일당

일당

하나 소개소에서 일당을 받은 사람들은 하나둘 흩어져 전철역이나 버스정류장 쪽으로 사라졌다. 정훈은, 마지막까지 남아 내일 일거리를 부탁하고 돌아서는 일혁을 따라갔다. 일혁은 기찻길을 건너 허름한 국밥집으로 들어갔다.

국밥집 안은 이미 들어찬 사람들의 온기로 훈훈했다. 안경을 쓴 정훈의 시야에 뿌옇게 습기가 차올랐다.

"오늘 현장 어땠나."

국밥 이 인분과 소주 한 병을 시킨 일혁이 물을 따르며 물었다. 속도전으로 일했던 윗동네와 달라 유유자적 일하는 일꾼들의 모양새를 힐끗거리는 정훈을 눈치

챈 일혁이었다.

"다들 노는 것 같았습니다."

"서서히 익숙해질 거야. 여긴 안전이 제일이니까."

정훈이 사람들 틈에서 홀로 서두르는 모습이 유독 눈에 띄었던 것은 사실이었다. '안전제일'이라고 쓰인 안전모가 답답해 정훈은 안전모를 자주 이마 위로 고쳐 올려 썼다. 턱을 감싼 끈은 목을 조르는 듯 갑갑했다. 일혁은 그런 정훈을 불러 커피를 주거나 천천히 하라고 타일렀다.

일혁이 반찬으로 나온 고추를 안주 삼아 소주를 들이켰다. 그때 정훈은 냉장고에 넣어둔 고춧가루와 삭아버린 파김치가 담긴 통이 떠올랐다. 속도보다 안전이 중요한 이쪽도 배가 고픈 건 마찬가지였다.

종업원이 그사이 '뜨거워요' 하며 국밥 두 그릇을 놓고 갔다. 일혁은 익숙한 듯 후후 불어가며 숟가락을 바삐 움직였다. 정훈은 연거푸 국물을 떠먹는 일혁을 따라 뜨거운 국물 한 숟가락을 삼켰다. 국물은 목구멍을 타고 흘러 온몸에 뜨거운 기운으로 퍼졌다. 일혁은 고개를 푹 숙인 채 쉴 새 없이 국물을 떠먹으며 건더기를 오물거렸다.

"아내 소식은 아직도?"

"돈을 보내야 뱉어낸다 아닙니까."

"건너갔을 텐데"

"그렇다고는 하는데 혹 압니까. 팔렸을지도."

일혁은 잠시 숟가락질을 멈추다가 이내 국물에 숟가락을 담갔다. 정훈은 팔렸을지 모른다는 말에 멈칫하는 일혁의 행동을 놓치지 않았다.

"아이도?"

"죽지 않았다면 어딘가에 살아있지 않겠습니까. 그걸 알았으면 이렇게 혼자 왔겠습니까?"

순간 정훈은 숟가락을 식탁에 내리치듯 놓았다. 일혁은 아내의 소식을 알고 있을 터였다. 모르쇠로 일관하는 일혁의 태도가 못마땅했다. 그러나 빈손이 된 이쪽에서의 하루도, 일상이던 저쪽에서의 감시도 후회하거나 슬퍼할 겨를이 없었다. 허기진 뱃속을 타고 뜨겁게 흐르는 풍만한 기운이 만삭의 몸으로 두만강을 건넜을 아내의 뒷모습마저 하얗게 지웠다. 눈으로 뒤덮인 산속의 움막집도 이내 생각에서 멀어졌다. 재차 정훈은 국물을 목구멍으로 밀어 넣었다. 뜨거운 국물 한 수저가 온갖 세상을 다 가진 듯 마음마저 푸근하게 부풀어 오르게 했다. 가슴팍 왼편에 질러둔 돈이 파닥파닥 움직거렸다.

*

일혁은 10호 초소 검문소 앞에서 정훈에게 고개를 수그렸다. 정훈이 냉큼 일혁의 짐을 빼앗았다. 자전거 짐칸에 사람을 싣고 초소를 냅다 지나친 일혁에게 정훈은 '야, 거기 서!' 큰 소리로 소리쳐 세운 뒤 손짓으로 자신의 발끝을 가리켰다. 10호 초소를 지나갈 때는 자전거에서 내려 걸어가야 했다.

시도 경계와 평양 출입 도로마다 설치된 10호 초소는 보위부의 교통 검문이지만 주민들의 이동 자체를 통제하는 곳이었다. 버스나 트럭을 탄 사람들도 모두 내려서 줄을 서서 한 사람 한 사람 검열을 받아야 한다. 군인도 예외는 없다. 정훈은 통행증을 대조하거나 말을 시켜 주소와 다른 지역의 말투를 쓰는 사람은 탈북 길에 오른 사람으로 일단 추려냈다.

사람을 가득 태운 트럭 한 대에서 가족사진을 챙긴 것을 의심스럽게 여긴 정훈은 탈북 길에 오른 두 사람을 각출한 적도 있었다. 공민증을 위조해 탈북을 시도하는 사람들도 여럿 있었다. 얼굴을 대조하고 말을 시켜보면 북쪽 말투 연습을 아무리 했다고 해도 금세 위조자를 색출해낼 수 있었다. 탈출자의 눈동자는 살고자 하는 본성으로 흔들리며, 그 흔들림을 들통날지도 모른다는 두려움에 예리하게 빛나는 법이다.

무산까지 온 사람들은 브로커를 따라 두만강을 건넜다. 그들의 형편을 모르는 바 아니었으나 저녁을 굶을 아내를 생각하면 강냉이 두 짐이라도 뇌물로 잡아둬야 했다. 수상한 물건이라는 명분을 뒤집어씌우거나 공민증 위조를 의심해 짐을 빼앗거나 고급 담배를 뇌물로 받아내면 그만이었다. 검열원의 역할은 이미 상실한 지 오래였다.

일혁의 자전거 짐칸에는 말린 강냉이 자루가 묶여 있었다. 그런데 묶인 자루 사이로 아랫동네 화장품 뚜껑이 얼핏 보였다. 밀수꾼과 잦은 접촉을 해오던 일혁의 형편이 나아지고 있다는 걸 정훈은 눈치채고 있었다. 일혁은 강냉이 두 짐을 두고 애써 고달픈 표정을 지어 보였다. 돌려달라며 한사코 애를 쓰는 일혁이 가엾기보다 가소로웠다.

정훈은 당장 내일 먹을 음식 재료가 동난 상태이기도 했다. 그때 일혁이 정훈에게 다가와 눈감아주면 뭐든 고이겠다고 작게 중얼거렸다. 일혁이 제안한 뇌물은 꽤 그럴듯했다. 만삭의 아내를 밀수꾼에 넘기는 일을 도와주겠다는 거였다.

집터에 동상이 세워진다는 지시를 받은 날, 정훈은 무작정 산으로 올라갔다. 한 달 안에 집을 비워야 했다. 갈 곳이 없었던 정훈은 임시 거처를 마련하기 위해 나무와 비닐로 엉성한 움막집을 만들었다. 출산이 임박한 향옥이 몇 안 되는 세간살이를 정리하고 있을 터였다. 아이를 낳을 장소도, 출산 물품도 마련하지 못한 상태였다. 순간 정훈이 떠올린 것은 밀수꾼에게 아내를 맡기는 수밖에 없겠다는 거였다.

*

모레 새벽에는 넘어야 해.

잘못되면…….

넘기만 하면 살 방도가 생기겠지. 내일 아침 물통을 자전거에 실은 사람을 따라가면 돼.

향옥은 마른 몸에 봉긋 솟아오른 배를 내려다봤다. 밤낮없이 배가 뭉치고 허기가 져 잠을 설친 탓에 졸음이 꾸역꾸역 밀려왔다. 정훈은 간단한 짐만 챙겨 뒤도 돌아보지 말고 가라고 재차 말했다. 어디로 가는지, 언제 따라올 것인지도 묻지 말라고 했다. 향옥은 그런 정훈이 서운했지만, 아이를 낳을 수 있는 곳으로 간다기에 더는 캐묻지 않았다. 벽에 걸린 사진 속 얼굴이 컴컴한 방 안을 들여다보는 것 같았다. 향옥은 저리로만 가면, 아이를 낳아 키울 곡식만 있다면 괜찮다고 애써 마음을 다잡았다.

나무 문이 열리고 닫히는 소리에 정훈은 냉큼 일어났다. 비닐로 덧씌운 창문에 이마를 바짝 갖다 댔다. 자전거를 끈 사내의 뒷모습이 대문 사이로 얼핏 보였다. 만삭의 아내는 말라버린 옥수숫대처럼 우두커니 서서 다시는 못 볼 집을 올려다보는지 정훈을 바라보는지 힐끗거렸다. 아내는 은신처에서 머물다가 새벽에 밀수꾼의 아내 흉내를 내며 두만강을 건널 것이다. 이후부터는 정훈도 도울 길이 없었다. 온전히 아내의 몫이었다. 일혁의 뇌물은 중국을 넘는 순간까지였다. 정훈은 그 사실을 아내에게 차마 말해줄 수 없었다. 목숨만 살아있기를 바라고 바랐다.

어디에서부터 잘못된 것인지, 누군가의 거짓말에 내내 속고 있는 것인지 정훈은 알 길이 없었다. 아내가 어딘가에 살아있다는 흔적조차 찾을 길이 없었다. 그때부터 정훈은 일혁이 고마웠던 지난날을 잊었다. 정훈은 아내를 빼돌리고 내일을 걱정해 주는 척 위로하는 일혁을 배신자로 여겼다.

어느 날 일혁은 그림자도 없이 북의 땅에서 가족을 남겨두고 홀로 사라졌다. 수소문 끝에 남한에 있는 일혁에게 편지를 보내 그의 아내와 아들을 조국을 배신한 자의 가족이라며 협박했다. 그런 일혁이 제안한 중국행은 아내를 찾을 수 있는 유일한 길이었다.

정훈은 일혁이 놓은 선을 따라 중국에 도착했다. 아내를 수소문하기 위해 정훈은 한국인이 운영하는 김치공장에 잠시 머물고 있을 때였다. 일혁이 보낸 브로커가 김치공장으로 오기로 한 새벽, 브로커가 아닌 공안이 들이닥쳤다.

'오는 건 마음대로 와도 가는 건 두 다리로 못 가. 정착금 넘기는 조건으로 빼줄 테니 선택해.'

정훈은 돈을 받아내려는 수작으로 겁박하는 일혁의

음모에 치가 떨렸다. 아내를 찾을 시간도, 북으로 돌아갈 엄두도 나지 않았다. 남한에 가서 정착금을 일혁에게 주는 대신 시간을 벌기로 작정했다. 정훈은 공안에게 풀려나 대형 김치 냉장창고에서 네 시간이 넘도록 숨어 있었다. 냉기보다 소름 끼쳤던 북송에 대한 두려움은 아내와 아이의 미련마저도 떨치게 했다. 움막집보다는 낫다고, 이보다 나빠지지는 않을 거라고 손을 비비던 정훈은 김치공장 사장의 도움으로 한 노파의 집으로 이동할 수 있었다.

일혁은 약속된 기한을 훌쩍 넘기고도 소식이 없었다. 정훈은 남한에 간다는 생각보다 언제 공안이 들이닥칠지 모른다는 불안에 휩싸였다. 그때마다 정훈은 자신을 닮아 눈썹이 짙은 사내아이를 상상했다. 그러나 일혁을 향한 분노가 치밀어 올라 어금니를 질끈 깨물었다.

*

"이러면 곤란해."

"모를 줄 압니까? 사람들 정착금 빼돌려 아들 빼내려고 한 거 아닙니까!"

“선택은 네가 했잖아!”

“이렇게 족쇄 지고 사는데 그쪽이나 이쪽이나 뭐가 다릅니까?”

정훈의 대꾸에 일혁이 ‘족쇄 족쇄’를 연발하며 벌떡 일어섰다. 순간 식탁이 덜컥 정훈 쪽으로 밀려났다. 그때 뻘건 국물이 담긴 국밥 그릇이 정훈의 왼편 가슴팍에 엎질러지고 말았다. 뜨거운 국물이 가슴 안쪽으로 뜨뜻하게 젖어 들었다. 정훈은 콩나물과 내장을 털어내며 서둘러 가슴팍에 넣어둔 돈을 매만졌다. 아랑곳하지 않고 일혁은 정훈에게 바짝 다가와 정훈의 왼편 어깨를 밀치며 삿대질해댔다.

“네가 이래서 안 되는 거야! 윗동네에서는 네가 위였어도 이 바닥에서는 나한테 바싹 기어야 살 수 있어. 내가 네 검열자라고!”

“이 쌍간나새끼, 너나 잘 먹고 잘살아보라. 뱃속에 두둑하게 거짓부렁이 채워 탈북자 등치는 독재자로 살라!”

정훈은 일혁의 얼굴을 거칠게 주먹으로 날렸다. 저만큼 밀려나 나자빠진 일혁의 입가에 핏빛 국밥 국물이 튀어 흘러내렸다. 차가웠던 눈발을 등지고 자전거를 탄 브로커를 따라 점선처럼 조금씩 이쪽으로 밀려나듯 몰려가던 날, 정훈은 평생을 바라보기로 한 아내의 얼굴도, 만삭이던 아내의 무거운 걸음걸이도, 자신을 쏙 빼닮았을 아이의 얼굴도, 자신의 정체성마저도 잊었다. 가진 것도, 가질 것도 없어서 무서운 것이 없었다. 일혁은 도끼눈을 뜨며 일어나 곧장 정훈에게 달려들 기세로 주먹을 쥐었다.

"뭐? 어째!"

그때 정훈은 가슴팍에 넣어둔 일당을 꺼내 일혁을 향해 흩뿌렸다. 얼룩덜룩 국밥 국물에 젖은 만 원권 지폐 여러 장이 일혁의 얼굴을 덮쳤다.

눈을 뒤집어쓴 움막집의 엉성한 비닐을 정훈은 기어서 빠져나왔다. 움막 지붕 위 마른 옥수숫대에서 하얀 눈이 떨어졌다. 허기져 퀭해진 눈두덩 위로 차갑게 날리던 눈이었다. 정훈은 국밥 그릇을 들어 식어버린 국물을 단숨에 들이켰다. 욕설을 내뱉으며 일어서는 일혁을 뒤로하고 서둘러 국밥집을 빠져나왔다.

보도 위로 눈이 쌓이고 있었다. 사람들은 이리저리 점점이 흩어져 지나갔다. 옷깃으로 눈발이 마구 날렸다. 젖은 가슴팍이 차갑게 만져졌다. 정훈은 가슴팍을 움켜쥐고 사람들 틈으로 바투 껴들어 전철역 방향으로 몸을 틀었다.

양계장 쪽으로

양계장 쪽으로

양철 대문을 여닫는 소리가 들렸다. 잡풀 더미 속을 헤집던 주 씨는 굽은 허리를 펴고 집 쪽으로 고개를 돌렸다. 파란색 페인트로 덧칠해진 작은 양철 문밖으로 남자가 나왔다. 남자는 마을 입구 쪽을 향해 곧장 마당을 가로질러 갔다. 마을 초입에 택시 한 대가 보였다. 그때 남자는 택시를 향해 열쇠 꾸러미를 든 손으로 허공을 한 바퀴 휘저었다.

택시는 흙먼지를 일으키며 언덕 중턱에 자리한 양계장 쪽으로 곧장 올라왔다. 택시는 많게는 일주일에 두 번, 뜸할 때는 한 달에 한 번 불쑥 나타났다. 해가 질 무렵이나 새벽에 헤드라이트를 끈 채 양계장 쪽으로 올라왔다. 주 씨는 재빠르게 잡풀이 올라선 자리에 몸을 숨겼다.

택시가 멈춰 서자 남자는 곧장 걸어가 파란 양철 문을 열었다. 남자가 안쪽을 향해 손짓하자 남자 한 명과 여자 두 명이 고개를 숙인 채 걸어 나왔다. 시커먼 얼굴에 얇은 재킷을 걸친 그들은 죄인처럼 남자 앞에 나란히 섰다. 주 씨는 쭈그리고 앉은 자세를 고쳐 앉다가 들고 있던 달걀 한 알을 그만 흙바닥에 떨어뜨리고 말았다.

택시 조수석에서 한 사내가 내렸다. 사내는 그들의 얼굴을 훑어보며 남자의 귀에 대고 무어라 말을 했다. 한참을 듣던 남자는 대번에 고개를 저으며 뒷짐을 지었다. 그러고는 입을 오므렸다 아랫니가 보이도록 '부씽, 부씽'이라고 말했다. 그때 사내는 남자의 뒷주머니에 서둘러 봉투를 찔러 넣고 사람들을 택시에 태웠다. 그제야 남자는 자물쇠 열쇠 자루를 손아귀에 쥐고 뒷짐을 진 채 양계장 쪽으로 걸어갔다. 주 씨는 발길질로 깨져버린 알을 흙으로 덮었다. 택시는 부연 먼지를 일으키며 마을을 빠져나갔다. 주 씨는 엉덩이를 털며 언덕을 내려갔다.

*

주 씨는 두 달 전 이곳에 처음 왔다. 소로를 따라 한참을 들어가자 산모퉁이 길이 나왔다. 급격히 꺾어 돌아가는 모퉁이를 돌아치자 숲으로 둘러싸인 마을 초입이 보였다. 비밀의 숲을 통과하듯 마을 입구에 들어서자 병풍처럼 산으로 감싸인 마을이 펼쳐졌다. 마을 입구 길은 왼편과 오른편 두 갈래로 나뉘어 있었다. 오른편 길을 따라 세 가구가 다닥다닥 붙어 있었다. 빨래가 널려 있거나 문이 열린 집은 없었다. 부러 지은 모양새로 사람의 기척도 보이지 않았다. 양계장은 왼편 대나무숲이 펼쳐진 언덕 부근에 세로로 길게 자리 잡고 있었다. 마당을 사이로 양계장과 서로 마주한 파란 지붕 집은 오른편에 지어져 있었다.

택시에서 내린 주 씨는 마을 어귀에서는 보이지 않던 파란 양철 문을 보고 걸음을 멈췄다. 문에는 큼지막한 자물쇠가 채워져 있었다. 주 씨는 남자에게 바지춤을 잡는 시늉을 해 보였다. 남자가 다녀오라는 손짓을 했다. 주 씨는 곁눈질로 자물쇠통을 훔쳐보며 그 옆 재

래식 화장실로 걸어갔다. 볼일을 보고 나온 주 씨는 닳아버린 자물쇠 투입구를 보고 침을 삼켰다.

집에는 출입문이 두 개였다. 큰 현관문을 열면 왼편으로 작은 주방에 원형 식탁이 놓여 있었다. 주방 안쪽 작은 문을 열면 몸을 씻을 수 있는 곳이 있었다. 주방 오른편으로는 방 하나를 나눈 작은방이, 좁고 기다란 거실을 지나 대각선으로는 안방이 있었다.

남자는 두리번거리는 주 씨를 불러 식탁에 앉혔다. 부엌에는 앞치마를 두른 여자가 그릇에 밥을 퍼 담고 있었다. 남자는 자신을 가리켜 '왕정동, 왕정동'이라고 발음했다. 식탁에 밥그릇을 내려놓는 여자의 오른 손등에는 화상 자국이 있었다. 남자는 숟가락을 들어 먹는 시늉을 해 보였다. 주 씨는 고개를 수그리고 정신없이 밥을 입속에 퍼 넣었다. 밥을 먹은 뒤 왕정동 씨는 양계장으로 주 씨를 데리고 갔다.

양계장은 집과 200미터 떨어진 곳에 마주해 있었다. 오른편에 딸린 양계장 문을 열면 케이지 안에 갇혀 알을 낳는 닭들이 있었다. 문 앞으로 가파른 언덕을 오르면 대나무 숲길이 이어졌다. 대숲은 닭들을 방사해 키우는 곳이었다. 남자는 케이지와 대숲을 가리키며 손바닥을 펴서 가로로 목을 긋는 행동을 반복하며 '부씽'을 연달아 발음했다.

왕정동 씨에게 처음 들은 말은 부씽(不行)이었다. 그는 뭐든 '부씽'을 넣어 말했다. '밟아서는 안 돼, 닭을 한 마리라도 죽여서는 안 돼, 도망쳐서는 안 돼, 들켜서는 안 돼, 안돼, 안돼'를 자동 반복 녹음기처럼 왕정동 씨에게 듣고 또 들었다. 주 씨는 한 마리도 죽여서는 안 되는 닭을 보살폈다.

닭들은 대나무 사이사이 잡풀 더미 속에 알을 낳았다. 왕정동 씨는 수시로 주 씨를 대나무 숲으로 보냈다. 오전과 오후에 두 차례씩 대나무숲에 들어가 알을 주워야 했다. 처음 방사장인 줄 몰랐던 주 씨는 풀숲을 거닐다 자주 알을 밟았다. 잡풀 더미 속에서 짓눌린 노른자가 주 씨의 신발 바닥에 끈적하게 달라붙어 주르륵 흘러내렸다. 그때마다 왕정동 씨는 바닥을 손가락으로 가리키며 '부씽'을 소리쳐 외쳤다.

양계장 안 닭들은 눈을 느리게 감고 뜨다가 졸듯 쓰러졌다. 주 씨는 발이 닳도록 드나들어 물을 바꿔주고 문을 열어 대형 선풍기로 열기를 빼돌렸다. 후덥지근한 공기가 머리카락을 휘돌 뿐 흩 강판을 소나무로 떠받

친 양계장 천장은 찜통더위에 후끈후끈 달아올랐다. 죽어가는 닭이 늘어날수록 왕정동 씨는 어디에선가 불쑥 나타나 손가락을 치켜세우며 '부씽, 부씽'이라고 침을 튀기며 말했다.

*

왕정동 씨는 마당에서 누군가와 통화를 마친 후 양계장 쪽으로 향했다. 밥그릇을 설거지통에 넣으며 주 씨는 거품이 묻은 홍 씨의 오른 손등을 힐끗 건너다봤다. 화상으로 일그러진 손등 위로 거품이 잔뜩 묻어있었다.

"그만 도망칩시다. 우리 방식대로 살아갑시다."

주 씨는 홍 씨에게 바투 다가가 오른 손목을 냉큼 붙잡았다.

"조용히 하세요! 되먹지 않은 구호 따위 집어치워요."

홍 씨는 주 씨의 손을 뿌리쳤다. 주 씨의 손과 바지춤에 거품이 튀어 올랐다.

"저 남자와 살림이라도 차렸소?"

"선 넘지 마세요. 숟가락 든 지 두 달 됐다고 참견하는 건가요? 내 살길은 내가 알아서 해요."

홍 씨는 거품이 묻은 손을 털며 주 씨를 쏘아보았다.

"내일 새벽에 길을 나설 테니 마음이 있으면 따라나서오. 저 인간은 우리를 팔아넘길 거간꾼이란 말이오. 모르겠소?"

"이보세요. 북에 두고 온 세 살배기 아들이 있다지 않아요. 아들을 데려와야 해요. 그리고 당신! 절대 이곳을 나갈 수 없어요. 왕정동 씨의 허락 없이는."

주 씨는 목에 두른 수건을 잡아당겨 손을 닦으며 비아냥거리듯 말을 이어갔다.

"참나. 설거지나 하고 닭알이나 주우면서 북에 어찌 선을 놓겠다는 겁니까?"

"저 사람은……."

양계장 철문이 닫히는 소리가 났다. 홍 씨가 말을 꺼내려는 찰나 대화는 끊겼다. 주 씨는 입을 꾹 다문 채 수건을 목에 두르고 밖으로 나가버렸다. 차를 몰고 마을을 빠져나가는 왕정동 씨의 차가 보였다. 주 씨는 대나무숲으로 올라갔다. 왕정동 씨가 지나간 자리에 흙먼지가 휘날렸다. 주 씨는 그늘에 주저앉아 담배를 꺼내 입에 물었다.

한 달 전에도 주 씨는 어김없이 언덕에 올라앉아 담배를 피우고 있었다. 알을 줍는 시간을 제외하고도 양계장 일을 마치면 자주 대나무숲 그늘에 앉아있었다. 밥을 먹고 난 후에도, 쉬기 위해서도 언덕을 올라 대나무 그늘숲에 앉아 담배를 꺼냈다. 절반쯤 타들어 간 담배를 마저 빠는 순간 바스락대는 댓잎 소리에 주 씨는 뒤를 돌아다봤다. 홍 씨였다. 길이 나 있지 않은 대나무숲 깊숙한 쪽에서 그녀가 걸어 나왔다. 대숲 사이로 쏟아지는 빛줄기와 그늘이 그녀를 사선으로 그어댔다. 주 씨를 언뜻 올려다본 홍 씨는 그만 고개를 푹 숙였다. 그녀의 눈자위가 붉었다. 주 씨는 피우던 담뱃불을 흙바닥에 급하게 문질러 껐다. 홍 씨의 어깨를 붙들려는 찰나 그녀는 언덕을 미끄러지듯 뛰어 내려갔다.

그날 이후부터 주 씨는 밤마다 고요 속에서 들리는 그녀의 소리에 집중했다. 신발을 신고 벗는 소리, 화장실 문이 열리고 닫히는 소리, 이불 속에서 몸이 뒤척이는 소리에 주 씨는 잠을 설쳤다. 왼발부터 슬리퍼를 신거나 왼손으로 수세미를 잡는 그녀를 속속들이 알게 된 것도 그때쯤이었다. 얇은 판 너머로 그녀를 옆에 두고 나란히 누워 잠에 빠져드는 순간이 아련해졌다. '주안아, 이리 와. 서둘러…아.' 잠결에 홍 씨는 누군가의 이름을 불렀다. 그때마다 주 씨는 벌떡 일어나 홍 씨의 숨결에 귀를 기울였다.

가끔 홍 씨는 자정이 되기 전이면 왕정동 씨의 방으로 들어갔다. 방에서는 잠시 대화 소리가 오갔다. 중국말로 속삭이듯 나누는 대화였다. '위험하다, 안된다'라는 말이 대화 중간중간에 껴들었다. 홍 씨와 왕정동 씨는 그렇게 한동안 대화를 이어갔다.

주 씨는 조용히 방을 빠져나왔다. 얼마나 지났을까. 대화 소리는 끊어지고 사위는 어둠 속에 잠잠해졌다. 대숲에서 불어오는 바람이 주 씨의 머리칼을 쓸고 지나갔다. 주 씨는 안방 창문이 정면으로 보이는 마당 끝쪽에 서 있었다. 방 안에서 들리는 소리인지 댓잎 비벼대는 소리인지 모를 부스럭거리는 소리가 났다.

홍 씨는 왕정동 씨의 방에서 새벽 1시가 넘도록 나오지 않았다. 주 씨는 마당을 서성이며 그만 돌멩이를 발끝으로 걷어찼다. 빈 양철통에 부딪힌 돌멩이 소리가 새벽의 정적을 깼다. 그때 안방에서 드르륵 나무 문 여는 소리가 났다. 현관문을 열고 나온 건 왕정동 씨였다. 왕정동 씨는 어둠 속에서 전봇대처럼 멈춰 서 있는 주 씨를 노려보았다. 왕정동 씨가 센 발음으로 빠르게 중국 말을 내뱉었지만 주 씨는 알아들을 수 없었다. 그 때 홍 씨가 밖으로 나와 왕정동 씨의 어깨를 잡고 거실로 끌어당겼고 주 씨에게는 잠시 자리를 피해 있으라는 손짓을 해 보였다. 주 씨는 짐짓 모른 척 변소로 향했다.

설거지를 마친 홍 씨가 바가지를 들고 마당으로 나왔다. 한낮의 땡볕에 후끈 달아오른 마당 흙바닥 위로 물을 마구 끼얹었다. 주 씨는 꽁초가 된 담배를 흙바닥에 비벼 불씨를 없앴다.

*

주 씨는 만포에서 용봉 발전소 근처 국경까지 가야 했다. 그곳에 마련된 은신처에서 대기한 뒤 새벽에 압록강을 건널 생각이었다. 처음부터 탈북을 생각했던 것은 아니었다. 보위부 외사과에 다니는 강 씨가 중국을 다녀온 뒤 선물한 소설책 때문이었다. 강 씨는 신문지로 두툼하게 싸맨 소설책 같은 물건을 주 씨에게 건넸다. 재미난 거라던 강 씨의 말에 주 씨는 틈만 나면 두툼한 책에 쓰인 깨알 같은 글씨를 따라 꼼꼼하게 읽어 내려갔다. 소설책에는 아들 이삭을 신에게 바친 아브라함 이야기가 기록되어 있었다. 오래전 남조선 라디오에서 듣던 내용과 유사했다. 읽고 읽어도 전혀 다른 이야기가 펼쳐지는 소설책을 주 씨는 한 달을 통독했다. 요한계시록에 이르렀을 어느 날 이른 아침, 주 씨의 집에 보위부 요원이 들이닥쳤다. 출근을 준비하던 주 씨는 책을 압수당했고, 입은 옷차림 그대로 보위부로 끌려갔다. 심문은 밤새도록 계속됐다. 주 씨는 백지에 책의 출처와 읽은 사유에 관해 쓰고 또 써야 했다.

"선물을 받았다?"

"그렇소. 중국에 다녀오는 길에 재미난 책이라며 건넸소."

"이 새끼가 눈이 뒤집히도록 맞아야 사실대로 말하겠다 이거야?"

"진실대로 말하노니 성경 책인 줄 몰랐소."

"쌍간나새끼! 하늘 신을 제대로 마음에 심었구나야!"

"하늘신이니 하나님이니 난 그런 것 모르오."

"아직도 계급장이 유효하다고 생각하나?"

"보위원 동지, 그게 아니고……."

"여기가 어디라고 반말을 지껄여!"

보위원은 주 씨의 가슴팍을 거칠게 걷어찼다. 주 씨는 앉은 자리에서 벌러덩 뒤로 나자빠졌다. 명치끝이 묵직해져 한동안 숨을 쉴 수 없었다.

강 씨가 찾아온 것은 조사가 시작된 지 이틀이 지나서였다. 주 씨는 책상 앞에 놓인 성경 책을 노려봤다. 강 씨는 팔짱을 낀 채 창가로 걸어갔다.

"사실대로 말해야 목숨만은 건질 수 있네."

"사실?"

"그래야 사지는 망가져도 숨은 쉴 수 있을 걸세."

주 씨는 문밖으로 나가는 강 씨의 뒤통수에 대고 침을 콱 내뱉었다.

살아야 했다. 주 씨는 점심으로 나온 소금국에 옥수수 몇 알을 겨우 삼켰다. 발가락을 움직여봤다. 아직 걸을 수 있는 상태였다. 멀쩡하게 두 발로 걸어 이곳을 빠져나가야 했다. 거짓을 사실로 위장해야 살 수 있다는 것은 애초에 살려줄 생각이 없다는 뜻이었다. 영양실조에 걸리거나 면역결핍으로 쓰러져 시름시름 앓다 목숨을 잃을 게 분명했다.

주 씨는 사상개조라는 이유로 북한 주민 여럿을 조사했고, 그들은 영양실조로 사라졌다. 수긍한다 해서 살아나갈 수 있는 곳이 아니었다. 단단한 쇠고리에 걸리고 만 것이다. 촘촘하게 연계된 감시망에 제대로 걸린 거였다.

평양에서 은밀하게 남한 라디오를 함께 즐겨 들었던 박 씨가 떠올랐다. 당시 제주 극동방송에서 '동생을 찾습니다'라는 사연을 보낸 탈북자가 주 씨의 형과 비슷하다고 우기던 동료였다. 탈북한 자신 때문에 계급에서 물러나지나 않았나 염려돼 동생의 행방을 수소문한다는 사연이었다. 동생의 성품이 강직해 탈북을 해왔을지도 모르며 목덜미에 도드라진 점이 있는 게 특징이라고 했다는 것이다. 수년 전 죽은 형이 살아나 탈북했을 리도 난무했고 혹여나 탈북했을지 모를 동생을 찾는다는 아이러니한 사연에 주 씨는 고개를 저었다. 라디오를 들으며 남한을 동경했고 행불자들이 꽤 남한에 있음을 짐작했다.

어떤 수를 쓰더라도 박 씨에게 가야 했다. 주 씨의 집에는 작은방에서 뒷문으로 연결된 책장 뒤 비밀 통로가 있었다. 천장에 넣어둔 달러와 중좌를 증명할 수 있는 서류와 배지도 그 방에 정리되어 있었다.

"식솔이 어떻게 되십니까."

"그건 왜 궁금해!"

"집에 달러가 있습니다."

보위원은 왼쪽 눈을 치켜떴다. 입맛을 다시더니 되물었다.

"어느 방인데."

주 씨는 미끼를 문 보위원을 물끄러미 올려다보며 소금국이 담긴 그릇을 내려놓았다.

"비밀 방문이 따로 있습니다. 집이 미로 같아서 아무나 찾을 수가 없습니다. 땅에도 묻어둔 달러가 제법 있습니다."

"무슨 수작이야! 국가안전보위부를 허투루 보지 말라."

보위원은 주 씨의 멱살을 잡고 끌어당겼다. 국그릇이 엎어지면서 소금 국물이 바닥에 쏟아졌다.

"같이 움직이면 될 것 아닙니까."

보위원은 교대 시간을 틈타 주 씨와 단둘이 달러가 있다는 집으로 향했다. 마당 오른편 항아리 밑에 달러를 숨겨 놓았으니 삽으로 파라고 하자 보위원은 군소리 없이 땅을 파기 시작했다. 주 씨는 잠깐 목을 축이겠다며 방 안으로 들어왔다. 작은방 서랍에 정리된 서류와 사진 몇 개를 가슴팍에 질러 넣었다. 주 씨는 서둘러 책장을 옆으로 밀어 몸 하나 겨우 들어갈 작은 나무 문을 당겼다. 비밀 통로를 기어 뒷문으로 빠져나온 뒤 뒷산으로 힘껏 뛰었다. 주 씨는 산 능선을 따라 이틀 밤낮을 걸어 박 씨의 집으로 피신했다. 그에게 부탁해 선을 놓았고 중좌를 증명할 서류와 사진만 챙겨 이동했다. 지체할 시간이 없었다. 그렇게 도망치듯 혜산으로 가는 열차에 올라탔다.

압록강을 건너자마자 주 씨는 뒤를 돌아다봤다. 컴컴한 어둠 속에 갇힌 산과 들녘이 민둥민둥했다. 주 씨는 약속한 장소에 돌멩이 두 개를 나란히 놓고 그 위에 나뭇잎이 달린 가지를 내려놓았다. 십여 분이 지났을까. 택시를 탄 한족 브로커가 나타났다. 교회 앞에 내린 주 씨는 브로커 안내로 한족이 운영하는 식당에 갔다. 식당 문에 들어서자마자 종업원이 재빨리 주방 안으로 들어갔다. 서둘러 주방에서 뛰쳐나온 여성은 '부씽, 부씽'을 외치며 손사래를 쳤다. 브로커를 한쪽 구석으로 데리고 가 뭐라 귓속말을 건넸다. 브로커는 주 씨의 왼팔을 잡아당겨 식당 밖으로 데리고 나갔다. 브로커는 조선말로 실내 안쪽 귀빈실에 공안국 회식 자리가 준비되고 있다고 말했다. 따라 나온 여주인은 중국말로 브로커에게 말했다. 주 씨는 여주인 옆에 멍하니 서서 눈만 끔뻑이며 여주인과 브로커를 번갈아 봤다. '통화'라는 단어만 크게 들렸다. 브로커는 주 씨에게 길림성 통화시 시골 마을에서 양계장을 하는 시동생 집에 갈 거라고 말했다. 시커멓게 탄 얼굴에 산에서 헤매다 나뭇가지에 긁힌 상처 자국이 주 씨의 얼굴에 선명했다.

마을 언덕에 있는 양계장 쪽 마당에는 한족 남자 한 명이 서 있었다. 양계장 왼편으로는 대나무 숲이 펼쳐져 있었다. 그때 한 남자가 포대 자루를 내려놓고 뒷산으로 재빠르게 뛰어 올라가는 것이 보였다. 택시가 양계장 앞에 멈춰 섰을 때 대숲으로 사라진 남자는 보이지 않았다. 한족 남자와 브로커는 중국 말로 수 분 동안 말을 주고받았다. 말이 끝난 한족 남자는 주 씨를 데려가 파란 양철 문안으로 밀어 넣었다. 폭이 좁은 나무계단을 오르자 다락이 있는 방이 나왔다. 경사진 지붕이 꺾이는 지점에 놓인 삼각형 모양의 방 안에는 시커멓게 얼굴이 그을린 여성 세 명이 웅크리고 앉아 있었다. 그들은 무릎을 오므리며 주 씨를 날카로운 눈초리로 노려보았다. 그날 새벽 여성들과 어디선가 나타난 남성 한 명이 택시를 타고 떠났다.

*

양계장 바닥에 앉아 주 씨는 목에 두른 수건으로 연신 이마에 땀을 닦아냈다. 홍 씨는 양계장을 조용히 지나쳐 왼편 언덕을 따라 대숲으로 올라갔다. 대숲 그늘에 앉자 홍 씨를 따라 주 씨가 대숲으로 올라오는 것이 보였다. 주 씨는 수건으로 바지를 탁탁 치며 홍 씨에게 가까이 다가왔다. 쭈그리고 앉았던 자리를 털고 홍 씨가 일어섰다.

"팔려 온 것이오?"

홍 씨는 그를 째려봤다. 주 씨는 마을을 내려다보며 홍 씨 옆에 나란히 섰다.

"아니면 말지. 뭘 그리 노려보시오. 도망치고 말지 왜 벙어리처럼 사시오."

"그는 북에 있는 남편에게 선을 대는 사람이에요. 남

편은 계집질해댄다 쳐도 아이만이라도 데려오기 위해 애쓰고 있어요."

주 씨는 짐짓 놀란 듯 눈을 치켜뜨며 슬쩍 홍 씨의 옆얼굴을 훑었다.

"그래서 식모로 일하는 거요?"

"이보세요. 왕정동 씨는 우리 뒤를 봐주고 있는 슈퍼맨의 심부름을 맡고 있어요. 당신도 택시에 내렸을 때 교회 앞에서 내리지 않았어요?"

"그렇소만."

"그곳에서 선을 연결하고 은신처를 제공할 만한 장소를 대준다고요. 왕정동 씨는 슈퍼맨과 손을 잡고 이 모든 일에 관여해요."

"그래서 아이를 위해 낮에는 식모로 살고 밤에는 한 이불을 덮는단 말입니까?"

홍 씨는 코웃음을 쳤다.

"온종일 닭을 살피느라 당신 목숨이 위태로운 걸 모르시는군요. 중좌 신분인 당신을 빼내려고 왕정동 씨가 얼마나 분주했는지 알아요?"

"내가 직접 도망쳐 온 것이오. 그 누구도 믿을 수 없는 곳으로부터."

"강 씨에게 준 성경 책은 왕정동 씨가 당신에게 보낸 물건이에요. 당신은 성경 책 때문이 아니라 남조선 라디오를 듣는다는 걸 이미 보위부에서 도청으로 알고 있었다고요. 중좌 계급 정도면 남조선에서 쓸모 있게 돌아갈 것인지 본인도 모르지 않았겠죠? 그래서 가족도 다 버리고 온 거잖아요."

주 씨는 허리춤에 손을 짚고 한동안 하늘을 올려다보았다.

"그럼 그곳에서 죽으란 말이오? 살고 싶은 마음은 누구나 있소."

"강 씨에게 감사해야 할 거예요. 성경 책의 행방을 캐기 시작하면 강 씨도 무사하지 못해요. 박 씨는 안타깝게도 당신을 도운 죄로 수용소로 넘어갔어요. 그곳에서 영양실조로 죽은 것 같아요. 면회가 안된다고 자꾸 거절하더라는 거예요. 모든 게 발각되고 말았어요. 왕정동 씨는 이 모든 상황을 관리하는 사람이에요. 함부로 움직일 생각 마세요."

주 씨는 뜨악한 표정을 지었다. 표정 변화가 없는 홍 씨에게 주 씨는 언성을 높이기 시작했다.

"거짓말 마시오. 단단히 꼬임에 넘어간 것이라고!"

"성경 책으로 붙잡혀가지 않았다면 도청당한 사실도, 형의 탈북 사실도 영영 모른 채 살지 않겠어요?"

"썩은 개고기 같은 말씀!"

"남조선에 있는 형이 당신을 찾고 있어요. 목덜미에 점이 있다고 했어요. 당신 목덜미처럼. 형의 지원이 아니었으면 슈퍼맨도, 왕정동 씨도 당신을 돕지 못해요."

"웃기지 마시오. 내 형은 10년 전 말반동으로 쥐도 새도 모르게 잡혀갔소. 얼굴이 일그러진 형의 시체를 직접 봤다는 사람이 말해줬단 말이오."

"형이 남조선에 있다는 사실도 그들은 모조리 알아요. 남쪽과 접선하는지 당신을 엿보고 있었다고요. 줄줄이 엮을 기회만 노렸는데 대체 당신은 몰랐던 건가요?"

"이건 남쪽 국정원 모략에 빠진 게 분명하오. 나를 데려다가 정보를 빼돌리려는 속셈이오."

홍 씨는 고개를 절레절레 저었다.

"믿지 마세요. 어차피 우리는 서로를 믿지 못하는 존재들이잖아요. 저는 내일 새벽 이곳을 떠나요."

"지금 혼자 도망친다는 말이오? 한족 놈이 돈이라도 댄 모양이네. 다락방에 숨겨놓은 탈북자들을 보고도 그러오? 당신은 팔려 가는 거라니까!"

"세 살 된 아들이 국경을 무사히 넘었어요. 폐렴으로 기침이 심해져 은신처를 옮기기로 했다고 들었어요. 병원에 데려갈 수도 없어서 방음이 그나마 잘 되는 장소로 간댔어요. 그가 일을 마무리하고 올 거예요. 어제 그 소식을 전해 들었어요."

"결국 오랜 정분이 이렇게 이어지는 것이오?"

"정분? 당신은 참으로 추하군요. 이 긴박한 상황에 남자와 몸을 섞는 여자로 보는 꼬락서니가. 되먹지 못한 생각들 하려거든 다시 조선으로 돌아가세요!"

홍 씨는 미간을 찌푸리며 먼지를 털 듯 바지춤을 오른손으로 탁탁 털어냈다. 대숲 사이로 내리치는 빛줄기에 선명하게 도드라진 홍 씨의 손등의 화상 흉터를 주 씨는 힐끗 내려다봤다. 왕정동 씨가 외출하는 날이면 홍 씨는 대숲에 올라갔다. 댓잎이 흔들릴 때마다 울음소리가 바람에 섞여 대금 한 곡조처럼 퍼져나갔다. 홍 씨는 왼 손바닥으로 오른 손등을 감싼 채 서둘러 언덕을 내려갔다.

대숲 사이로 불어오는 바람이 쏴, 소리를 냈다. 순간 주 씨는 엉거주춤 방향을 잃고 그 자리에 털썩 주저앉고 말았다. 흙먼지 바람이 부하게 일어났다. 그때 대숲 어디선가 나타난 닭 한 마리가 푸드덕거리며 하늘 높이 날아올랐다.

알파벳 당신

알파벳 당신

문을 밀자 머리 위로 바람이 쏟아졌다. 해수는 민소매 아래로 드러난 팔을 쓸어내렸다. 마트 안은 시원한 공기로 가득했다. 거리에는 여기저기 부채 손을 하거나 이마에 땀을 닦아내는 사람들이 보였다. 세상은 통유리를 사이에 두고 온탕과 냉탕으로 나뉜 거대한 목욕탕처럼 보였다.

마트는 한산했다. 오후 세 시. 무더운 날에 무료한 시간을 보내기 위한 장소로 마트나 백화점이 제격이었다. 친구와 동행해 차를 마시거나 저녁거리를 미리 고민하는 주부들이 대다수였다. 주부들의 하나같이 '뭘 해 먹어야 하나'를 묻는 눈빛으로 들었던 물건을 내려놓기를 반복했다. 목적 없이 갈팡질팡하는 사이 주부들은 우유나 달걀, 두부 같은 익숙한 식재료들을 담아 계산대로 향했다. 장바구니에 든 내용물과 상관없이 이곳저곳 물건을 찾아 느린 걸음으로 마트를 거닐었다. 그들의 시선은 허공 어디쯤 놓여 있었다.

해수는 특별히 달라질 것 없는 식단과 한자리에 모여 앉아 넷플릭스에 시선이 쏠려 있을 B와의 저녁 식사를 떠올렸다. B는 넷플릭스를 보며 오이무침을 뒤적이다 놓치기를 반복했다. 작은 휴대전화 화면을 오가는 B의 눈동자에 액정에서 굴절된 빛이 반짝 비쳤다. 해수는 그 모양새를 곁눈질하다 그만 젓가락을 내려놓았다. 해결할 수 없는 일을 저질러 놓고 다짐을 논하던 O와 비현실적인 꿈을 열심히 설명하던 B의 눈빛이 그러했다. 허공에 놓인 시선은 화려한 미래 어딘가에 가 있었다. 그 눈빛은 늘 제자리였다. 시작점을 밟고 오르지 못한 제로의 자리에 머물러 있었다.

*

스물둘에 만난 O는 최신형 휴대폰을 할부로 사 선물

했다. 몇 달 못 지나 '미납 요금을 다 갚을 수 없어'라고 말할 것임을 해수는 짐작하지 못했다. 일반 사람들보다 키가 큰 B는 모델이 될 때까지 몇 달만 있게 해달라며 원룸 앞 작은 구멍가게로 찾아와 다이어트 바를 건넸다. B의 눈 밑에 덧칠한 베이지색 섀도가 음영이 져 며칠 굶은 사람처럼 보이게 했다.

대학교 동기인 B와는 종종 연락하던 사이였다. 다른 친구들은 B를 카드빚에 쩔쩔매는 할부 인생이라며 멀리했다. 시곗줄이 닳은 포체 시계를 손목에 찬 B는 '몇 달만'을 반복하며 자주 머리카락을 손가락으로 쓸어올렸다. 해수가 차린 밥을 먹은 B는 휴대폰을 거울삼아 샤넬 립스틱을 꺼내 붉게 입술에 발랐다. 해수는 B의 얼굴 뒤로 '믿음 슈퍼' 간판을 내려다봤다. 월세와 전기세를 꼬박꼬박 내줄 것인지 믿을 수 없었지만, 그녀를 받아들이기로 했다. B는 오래가지 않아 모델 일을 포기했고 냉장고의 음식을 모조리 먹어 치웠다. 결국 B는 냉장고에 식료품을 채우기 위해 의류매장 직원이 되었다. 열한 시에 집에 들어와 종아리를 주무르는 것이 B의 일상이 되었지만, 모델이 되겠다는 꿈은 포기하지 않았다. B의 배와 허벅지에는 점점 살이 붙어갔다. 바람에 스커트 자락이 날릴 때마다 언뜻 비치던 허벅지가 그녀의 두 달 후를 짐작하게 했는지도 몰랐다. 해수는 생리대 판매대 앞에 멈춰 섰다.

"고객님, 좋은 느낌 한번 써보세요. 묶음으로 사는 것이 낱개로 세 개 사는 것보다 쌉니다."

얼마나 싼지 묻고 싶었지만 귀찮았다. 해수는 덤으로 300원짜리 할인쿠폰을 주는 날개 없는 일반형 생리대를 바구니에 담았다.

"날개가 있는 것으로 사세요. 오늘 그게 더 싸요."

"써봤어요."

직원의 무표정을 뒤로한 채 해수는 세제 판매대 앞으로 갔다. 섬유 린스는 담배를 즐겨 피우는 B 때문에 자주 사두는 물품이다. B의 왼편 소매에서는 유독 담배 냄새가 많이 났다. 왼손 엄지와 검지로 담배를 피우는 B는 손가락에 냄새가 밴다며 나무젓가락에 담배를 꽂아 피우기도 했다. B가 담배를 끊지 않는 이상 기준치 초과의 섬유 린스를 사용할 수밖에 없었다. 붓는다는 표현이 더 적합했다. B의 옷에서는 섬유 린스와 향수 냄새가 뒤섞여 풍겼다.

B는 겹치는 뱃살을 감쪽같이 감춰주는 보정속옷을

입고 방안을 누비며 걸었다. 그녀의 짙은 화장은 눈 그늘을 감쪽같이 감춰주었다. 메이크업 베이스를 바른 피부는 유분기에 들떠 이마와 양 볼이 싸구려 인조 가죽 가방처럼 번뜩거렸다. '나 어때?'하고 물을 때마다 입에서는 연한 담배 냄새가 풍겨왔다.

직원이 '아우라'를 들었다 놨다 하는 해수 옆으로 다가왔다.

"'다우니' 한번 써보세요. 향기도 좋고 가격도 좋아요."

"이 향기 좀 맡아볼게요."

"가격도 싸고 향기도 좋아요. 자, 맡아보세요. 장미향."

직원은 말끝마다 억양을 올리며 분홍, 파랑, 보라색 '다우니' 중에 분홍색 뚜껑을 열어 해수에게 건넸다. 해수는 직원이 건넨 분홍색 뚜껑을 코끝에 가져다 댔다. 분홍색 뚜껑에서 장미 향을 닮은 인위적인 향이 퍼졌다. 딸기우유에서 짙은 장미 향이 풍기는 것 같은 착각에 빠졌다. 향기가 좋다고 말을 건네는 사이, 해수는 무의식적으로 코에 손을 가져다 대며 혀를 내밀었다. '아우라' 용기에도 '무방부제' 스티커가 붙어 있었다.

"둘 다 무방부제 내요?"

"요즘은 다 무방부제죠. 미세 플라스틱도 다 뺐잖아요. 젊은 분들은 특히 '다우니' 많이 쓰시던데……."

직원은 '다우니'를 자꾸 권했다. '다우니' 뚜껑을 돌려 잠그고 선반에 내려놓는 직원의 옆얼굴을 흘겨봤다. 해수는 선반에 놓인 '아우라'를 꺼내 들었다. B는 행사 제품이나 마트 이름으로 싸게 판매하는 제품을 좋아하지 않았다. 그것은 나도 마찬가지였다. 다른 제품들과 그다지 가격 차이도 나지 않을뿐더러 무엇을 믿고 사야 할지 모르기 때문이었다. 마트 이름으로 만든 값싼 화장지를 산 적이 있었다. 화장실에서 나온 B는 마사지를 하는 해수에게 다가와 말했다.

야, 이거 살갗 쓰라려. 생활비 더 낼 테니까 화장지 좋은 것 좀 사.

B는 쓰다만 화장지를 침대 위로 던졌다.

16롤이나 남았어.

해수는 거울 속에 비치는 B의 허벅지를 올려다봤다. B는 집에서도 치마를 입었다. 긴장감을 잃지 않기 위해서라고 말했지만 자기 위안이나 만족감을 느끼기 위한 것으로 보였다.

화장지는 직원의 권유에 구매한 것이었다. 물건의 질보다 잔돈을 모으는 재미에 빠져 있었던 것이 사실이었다. '아우라'를 바구니에 담고 채소 판매대로 가려는 순간 직원은 해수에게 외치듯 말했다.

"저희 마트를 이용하시는 고객님들을 배려하는 차원에서 만든 화장지입니다. 다른 제품보다 더 싸요. 한번 사용해 보세요."

두 손을 모으며 직원은 해수의 눈을 올려다봤다. 눈웃음을 치며 치켜뜨던 직원의 눈 주위로 잔주름이 보였다. 눈은 웃고 있었으나 눈빛은 구매할 것인지부터 가늠하는 듯했다. 구매하지 않아도 여전히 눈가의 주름은 잡혀 있을 것이었다. 해수는 직원의 말을 믿을 수 없었지만, 통장의 잔액을 떠올렸다. 마트 이름이 새겨진 화장지를 들어 코너를 꺾으려는 순간, 직원은 큰 소리로 해수의 뒤통수에 대고 인사를 했다. 해수는 아무 대답도 하지 않았다. 마트 이름이 새겨진 화장지는 재질이 거칠었고 먼지가 많이 일었다. 뜯을 때면 제멋대로 찢어지는 경우가 많았다.

'아우라'가 담긴 바구니를 왼손으로 바꿔 들며 채소 판매대로 향했다. B는 매일 밤, 샐러드를 먹어 채소를 사 두어야 했다. 만약 채소를 사다 놓지 않으면 생활비에 대해 B가 의심할 것이 분명했다. 채소 판매대 옆 생선 판매대에는 다리가 축 처진 낙지를 싸게 판다며 직원이 외치기 시작했다. 옆 칸에 놓인 꽃게의 등딱지 위에 쉬파리가 앉아 있는 것이 보였다. 해수는 한쪽 입술을 삐죽 올리며 채소 판매대 앞으로 갔다. 유기농과 일반 채소로 구분된 코너에서는 농약 유무와 가격의 다과부터 따져야 했다. 유기농이라 하더라도 소량의 농약은 뿌렸겠지. 일반 채소 판매대 쪽에서 양배추를 골라 바구니에 담고 치커리를 투명 봉지에 담아 직원에게 건네자 직원은 가격표를 봉투에 붙여줬다. 그 사이 직원과 해수는 한 마디도 나누지 않았다. 계산대로 가는 사이 지갑에서 현금과 포인트 카드를 꺼냈다. 오늘도 예상 금액에서 일 만 원이 남을 것 같다. B에게서 받은 생활비 가운데 조금씩 남겨 모은 돈이 이십만 원을 넘어가고 있었다. 해수는 B를 받아들이기를 잘했다고 생각했다.

*

마트 입구가 소란스러웠다. 가판대에 휴대폰을 싸게 판다는 문구가 보였다. 휴대폰이 놓여 있는 가판대 앞에 사람들이 모여 있었다. O가 휴대폰을 살 때도 가판대 앞에 사람들이 많았다. 모여 있는 사람들 틈으로 들어갔다. 구경만 하자, 축축한 O의 손을 놓으며 해수가 말했다. 사람들의 지문이 묻은 휴대폰을 닦던 직원은 휴대폰을 내려다보고 있는 해수에게 최신형 폰을 내밀었다. 터치감이 좋은지 카메라 성능은 어떤지 직원에게 O가 묻는 사이 해수는 카메라 셔터를 연신 터치했다.

갖고 싶으면 사. 요금 내가 내면 되잖아.

해수는 쓰고 있는 할부 요금이 생각나 휴대폰을 직원에게 건네고 화장실을 다녀오겠다는 핑계로 사람들의 무리에서 빠져나왔다. 화장실에 다녀와 물기 젖은 손을 바지에 닦는 해수에게 O는 통신사 명이 적힌 종이가방을 내밀었다.

미쳤어? 반품해.

네 휴대폰은 낡았어. 그거 나 주고 이거 써라.

O는 해수의 주머니 속에서 휴대폰을 꺼내 자신의 주머니에 넣었다. 해수는 O가 자신에게 너무 많이 치고 들어왔다고 생각했다.

딩딩. 해수는 가볍게 두 번 터치했다. 내일 두 시 이차 인출 예정. 카드 가능. 해수는 삭제 버튼을 누르고 확인을 눌렀다. O는 몇 달 전 내가 쓰던 휴대폰을 잃어버려 해수 명의로 새롭게 폰을 사들였다. 그 때문에 할부금이 두 배로 늘어났다. 해수는 사랑,이라는 단어 하나로 명의를 빌려준 것에 대해 별다른 생각을 하지 않았다. 그것들이 독이 오르기 시작하는 시점은 상대방의 잘못을 넘기지 못해 다투거나 헤어질 위기에 처했을 때다.

O와 연결된 휴대폰이라는 끈은 쉽게 해결되지 않았다. 문제는 돈이었다. 해수는 모아놓은 생활비를 잠깐 떠올렸지만, O가 낼 때까지 기다리기로 마음먹었다. 통장에 넣어둔 돈으로는 한 달 치 요금도 갚기 어려웠다. 손해 볼 이유는 없었다. 누구나 그만큼은 고통의 대가를 치러야 했다. 해수는 충분히 심리적으로 대가를 지불하고 있다고 생각했다. 며칠 전 조성한 지 얼마 되지 않은 공원 벤치에 O와 앉아 죽죽 흘러내리는 아이스크림을 먹으며 생각했다. 너와는 여기까지야. 녹고 있는 아이스크림에 불과해.

해수는 O에게 전화를 걸었다.

"내일 두 시까지 할부금 다 내. 지겹다 정말."

"한 달 요금은 가능해."

"지금까지 계속 내일 내일 하는데 자존심도 없니? 끝났으면 깔끔하게 해결해야지. 술은 마셔도 요금 낼 돈은 없나 봐? 끊어!"

O는 해수가 쓰던 휴대폰을 잃어버린 게 아니었다. 거짓말로 이어오던 O가 말을 이으려던 찰나, 해수는 제트 플립 휴대폰을 파우더 팩트를 접듯 닫았다. 신고도 할 수 없는 일이었다. 명의를 빌려준 것에 합의했고 아니라는 사실을 증명해 보일 방법도 없었다. 해수는 요금 때문에 헤어지는 것을 미뤄왔다. 카톡 알림 소리가 났다.

넌네말만하고끊냐 카페비움에서만나

O를 처음 만난 곳은 편의점에서였다. 야간근무였던 그는 오전 아르바이트하는 해수를 위해 햄버거나 치킨 닭 다리를 사장 몰래 챙겨두었다. 오전 아르바이트를 끝내고 학교에 갈 때면 그는 자전거로 나를 바래다주기도 했다. 해수보다 다섯 살이나 많은 그가 편의점에

서 일하는 것을 B는 능력이 없기 때문이라고 말했다. 하지만 해수는 그가 다정하고 따뜻한 사람이라고 생각했다.

해수는 B의 옷장 문을 열어 며칠 전 백화점에서 샀다는 핑크빛 투피스를 꺼냈다. 선풍기 바람에 살랑거리는 스커트를 양손으로 잡고 좌우로 흔들었다. B가 돌아오기 전 랑방을 뿌려두면 되었다. 하지만 O를 만나기에는 옷이 너무 튀었다. 해수는 다른 옷들을 꺼내 거울에 비춰봤다. 너 때문에 구질구질하게 살지 않아. 잘 살고 있다는 모습을 O에게 보이고 싶었다. 해수는 머리카락을 말아 올려 나비 비녀를 꽂고 책상 서랍을 열었다. 핑크빛 아이섀도를 눈두덩에 바를 생각이었다. O를 만나기까지 시간은 충분했다. 그런데 책상 서랍 안이 허전했다. 파우치가 보이지 않았다. 옷장과 싱크대 서랍까지 뒤졌다. 화장품을 살 때 덤으로 준 빨간색 파우치였다. 분명 책상 서랍 안쪽에 넣어 두었는데 파우치가 발이라도 달렸나. 겨드랑이에 축축이 땀이 배어드는 것이 느껴졌다. 대학을 졸업한 후에는 화장할 일이 드물었다. 집에 있는 시간이 많아졌고, 어디에 나갈 때면 모자를 쓰거나 에보니 펜슬로 숱 적은 눈썹을 채워 그려 넣었다. 그런 뒤 입술에 립스틱만 바르면 화장을 한 것처럼 보였기 때문이다. 화장하는 일이 귀찮았다. 가끔 면접을 보러 갈 때만 짙은 화장을 하게 되었다. 파우치에는 미키 마우스 머리 집게와 스틱을 돌려도 잘 나오지 않는 당근색 립스틱, 나뭇결이 군데군데 보이기 시작한 1년 넘게 쓴 에보니 펜슬과 아이참 한 장, 기초화장품들, 선물로 받은 펄이 들어간 자외선 차단용 메이크업 베이스 밖에 들어 있지 않았다. 그런 파우치를 B가 가져갈 리 없었다. 유일하게 B가 탐낼만한 것은 며칠 전 선물 받은 비오템 진주펄 메이크업 베이스뿐이었다. 비오템 진주펄 메이크업 베이스는 해수가 가진 화장품 중에서 그나마 가격이 있는 제품이었다. 하지만 그것 때문에 B가 파우치를 가져갔을까. B가 가지고 있는 화장품에 비해 비오템 메이크업 베이스는 싼 것이었다. B는 월급의 3할을 명품 화장품을 사는 데 썼다. 옷장과 서랍을 뒤졌지만, 파우치는 보이지 않았다. 해수는 O에게 미납금을 가져오면 만나겠다고 문자를 보냈다. B의 스커트를 벗어 랑방을 뿌려 옷장에 걸었다. 파우치가 없다는 사실이 마음을 흐려놓아 O를 만나더라도 미납금은 해결하지 못하고 싸우기만 할 것 같았다.

해수는 O를 만나지 않기로 했다. 아마 오늘 밤은 잠이 잘 오지 않을 것이다. 연필만 보아도 초등학교 시절의 M이 떠올랐다. M이 장난을 치다가 연필심으로 해수의 손등을 찍은 것이 점이 되어버렸던 기억은 초조할 때면 어김없이 떠올랐다. 해수는 손등에 점 같은 연필심의 화석을 내려보다가 M의 장난기 가득한 눈빛을 떠올렸다. 꼬리를 문 기억을 되짚어 생각하다 보면 누군가를 경계하는 마음이 생겼다. 어느 순간부터 해수는 제멋대로 기억하는 것으로 마음을 정리했다. 그렇게 사소한 물건만으로도 지나간 일들이 겹쳐 안 좋은 생각들로 밤을 지새우고는 했다. 해수는 겨드랑이를 물수건으로 쓱쓱 문지르고 베란다 문을 열었다. 바람이 머리카락을 귀 뒤로 쓸어 넘겼다. 이마에 흘러내린 땀을 손등으로 닦고 방을 둘러봤다. 싸구려 귀걸이와 캐논 디지털카메라, 포체 시계, 심지어 돼지 저금통까지 옷장에 넣고 자물쇠를 채웠다. 이제야 마음이 안정되는 듯했다.

B의 화장대 서랍을 잡아당겼다. B가 오기 전에 찾아야 했다. 플라스틱 상자 안에는 인조 속눈썹과 마스카

라, 아이라이너, 샤넬 루스 파우더, 다섯 개의 립스틱이 섞여 있었다. 상자 안쪽에 디올 파우치가 보였다. 상자를 옆으로 밀고 파우치를 꺼냈다. 파우치 안에는 며칠 전 B가 산 랑콤 마스카라와 샤넬 립스틱이 들어 있었다. 샤넬 립스틱은 스틱을 돌리면 나오는 립스틱과는 달리 클릭 소리와 함께 립스틱이 나왔다. 립스틱에는 CHANEL이 새겨져 있었다. 사용하지 않은 새것이었다. 다홍빛의 립스틱은 B가 좋아하는 색이었다.

B는 샤넬 홈페이지에서 립스틱 사진을 클릭하며 마우스 볼을 위아래로 굴렸다. 해수는 샤넬 립스틱을 옷에 문질러 지문을 지우고 랑콤 마스카라 위에 놓았다. 상표 이름을 보이도록 놓아두는 습관이 B에도 있다면 본래 놓여 있던 방향으로 두어야 했다. 해수는 그것들을 만질 때마다 상표의 위치와 놓여 있는 방향을 기억해뒀고, 지문이 묻었는지 확인했다.

옷장 문을 열었다. 옷장 안에서도 담배 냄새가 났다. 옷걸이에는 색색의 스커트가 걸려 있었다. 며칠 전 백화점에서 구매한 모란이 피어 있는 스커트가 유독 눈에 들어왔다. 스커트 자락을 만진 손에 모란 꽃잎이 툭, 떨어질 것만 같았다. 스타일에 맞게 구매한 핸드백들이 흐트러진 채 놓여 있었다. 해수는 핸드백을 하나 하나 들춰내며 구석구석을 살폈다. 안쪽에 놓인 크로스백을 꺼내 들었다. 그곳에는 한 번도 보지 못한 나무상자가 놓여 있었다. 해수는 번호로 된 자물쇠가 채워진 상자를 꺼내 좌우로 흔들었다. 천천히 좌우로 기울일 때마다 상자 모서리에 무언가 부딪혔다. B가 올 시간이었다.

해수는 상자를 제자리에 두고 크로스백을 상자가 보이지 않도록 놓았다. 어디에도 올이 나간 빨간색 파우치는 보이지 않았다. 상자 안에 파우치를 숨긴 것은 아닐까. 해수는 고개를 저었다. 긴장한 탓이었는지 어깨가 뻐근했다. B가 빨간 파우치를 가져갈 이유는 없었다. 하지만 서랍 안쪽에 파우치를 넣어둔 이후에 꺼낸 기억이 없었다. 내일 면접은 B에게 옷과 화장품을 빌리면 되지만 당장 파우치가 없다는 생각이 마음을 흐리게 했다.

종종 믿음 슈퍼에 라면을 사러 갈 때면 B는 문을 잠그지 않고 나갔다. 옥상이 딸린 3층 원룸이었고 옆집에는 여자가 혼자 살고 있었다. 옆집 여자가 담배의 필터 부분을 물고 피운다는 것을 알게 된 것은 옥상에서였다. 세탁기 소리가 들린다 싶더니 옆집 여자가 문을 열고 계단을 오르는 소리가 들렸다. 옆집 여자는 한참 동안 기척이 없었다. 얼마나 지났을까. 계단참에 하이힐 부딪히는 소리가 났고, 그 소리는 집 현관문 앞에서 더욱 크게 들렸다. 해수는 세탁기에서 꺼낸 옷들을 바구니에 담고 현관문 앞에 서 있었다. 옆집 여자가 현관문을 닫았다. 곧이어 방바닥에 발뒤꿈치 닿는 소리가 들렸다.

해수는 빨래를 들고 옥상으로 갔다. 옥상을 오르는 마지막 계단참에서 담배 냄새가 났고 해수는 여자가 담배를 피웠다는 것을 알게 됐다. 한쪽 구석에 끝이 짓눌린 담배꽁초가 보였는데 필터 부분에 잇자국이 나 있었다. 옥상에는 여자의 미니스커트가 다른 옷들 사이에 널어져 있었다. 여자에게는 주로 빨간색이나 검은색 옷이 많다는 것을 안 것도 옥상에서였다. 빨랫줄에는 옆집 여자의 옷들이 즐비했다. 빨랫줄에 빈 곳은 없었다. 해수는 들고 있던 바구니를 도로 가지고 내려왔다. 해수는 그 후로 세탁기가 작동되는 소리가 들리면 빨래를 하지 않았다.

원룸에 사는 사람들은 서로에게 관심이 없는 것처럼

보였지만 가장 잘 알고 있는 사람들이었다. 혹시 B가 믿음 슈퍼에 나간 사이 옆집 여자나 좀도둑이 든 건 아닐까. 아닐 것이다. 서랍 안에 파우치를 넣지 않고 책상 위에 놓아두었다면 눈에 보이는 빨간 파우치를 무심결에 쓱 갖고 나간 것은 아닐까. 이런저런 생각 끝에 해수는 B를 기다리기로 했다. 의심하지 말아야지, 하면서도 B를 의심하고 있었다.

해수는 침대 모서리에 걸터앉아 두 손으로 얼굴을 쓸어내렸다. 손바닥이 축축했다. 책상 위에 놓인 달력, 내일 날짜에 붉은 글씨로 면접일이 쓰여 있었다. 복도를 울리는 구둣발 소리가 들렸다. 누군가 계단을 뛰어올라왔다. B일 것이다. 해수는 구두를 벗는 B에게 입술 꼬리를 올리며 눈웃음을 칠 것이다. 마음속으로 숫자를 조합한다. 2657, 2765, 2567…….

*

해수는 늦은 저녁을 먹고 비디오 가게에 갔다. 비디오를 반납하고 집으로 돌아왔을 때 현관문이 잠겨 있지 않았다. B가 화장대 거울 앞에서 클렌징 크림으로 화장을 지우고 있었다.

“왔어! 문 좀 잠가. 아, 혹시 빨간색 파우치 못 봤어?”

해수는 눈웃음을 치며 B에게 말했다.

“못 봤어. 없어졌어?”

한편으로는 B를 의심하는 마음들이 수치스러웠다. 옷장과 화장대를 뒤졌다는 사실을 눈치챌까 봐 해수는 B의 눈을 똑바로 볼 수 없었다. B의 물건마다 놓여 있는 고유한 각도라도 있다면 B가 눈치를 챌지도 몰랐다. 옷장에 채워진 자물쇠를 보고 자신을 의심한다고 생각할까 봐 내심 걱정됐다. 하지만 해수는 B의 뒤통수를 바라보며 적극적으로 떠보기로 했다.

“책상 서랍 안에 넣어뒀다고 생각했는데… 기억이 안 나. 낼 면접인데…….”

해수는 파우치를 서랍 안에 넣어 두고 꺼낸 기억이 없었다. 옷과 화장품을 빌려주지 않는다면 B 모르게 쓰는 수밖에 없었다. B의 옷장에 걸어진 옷의 절반은 이미테이션이었다. 아마 B는 이미테이션을 빌려줄 것이다. B는 파우더가 뭉쳐 있는 퍼프를 들며 말했다.

“내 거 써.”

해수는 화장대 서랍에 들어 있던 샤넬 루스 파우더가 떠올랐다. 하지만 해수는 B가 쓰다만 파우더를 써야 할 것이다. B는 쓰다만 화장품을 해수에게 건네고 새로 산 화장품을 쓰기도 했다. 쓰던 것이 싫증이 났을 것이고 한시라도 빨리 화장대 서랍 안에 들어 있던 샤넬 루스 파우더를 쓰고 싶었을 것이다. 옷장 안에 들어 있는 B가 준 화장품들은 스킨이 전부였다.

"이거 너 가져."

B가 잘 바르지 않던, 상표 부분이 지워진 스킨을 가리켰다. 세수를 하고 나온 B의 얼굴은 수묵화 같았다. 눈 그늘이 B를 더욱 창백하게 했다. 자꾸만 B는 양 볼을 쓰다듬었다. B가 이렇게 나서서 자신의 옷을 빌려준 것은 처음이었다. 면접을 보러 갈 때면 해수는 B의 옷을 몰래 입었다. 이런 날은 앉기 전에 매번 의자를 확인했고, 화장실 거울 앞에서 뒤를 돌아다봤다.

B는 자신의 옷장을 열어 옷걸이에서 옷을 꺼내 침대 위에 던지듯 내려놓았다. 해수는 옷장 문을 열어 B가 빌려준 옷을 옷걸이에 걸었다. 옷장 안에는 B가 준, 쓰다만 화장품들이 보였다. 화장품들이 상표가 보이도록 정리를 해두었다. 처음 B에게 화장품을 받았을 때는

화장품을 사지 않아도 된다는 사실이 좋았다. 하지만 어렸을 때부터 사촌 언니 옷만 물려받고 자란 나로서는 달갑지만은 않은 일이었다. 파우더가 뭉친 퍼프를 빨아 화장대에 올려두었다. B가 치커리와 양배추를 드레싱 소스에 묻혀 쩝쩝거리며 먹었다.

B와 해수는 보이지 않는 선이라도 있는 듯 침대 위에 간격을 두고 누웠다. 차가 지나갈 때마다 천장이 환해졌다가 어두워졌다. 커튼 사이로 가로등 불빛이 새어 들어와 천장을 반으로 나누었다. 뱀의 눈처럼 어둠 속에서 반으로 나뉜 동그란 형광등 덮개가 끊임없이 이 방을 감시하는 카메라 같았다. 밀린 요금을 독촉하는 미납 처리팀 같았다.

미납 처리팀은 해수를 개별 관리했다. 미납요금이 몇 달 밀린 사람들의 명단에 이름이 기록되어 있다는 사실을 해수는 참기 힘들었다. 미납 처리팀이 보내온 문자를 받을 때면 주위를 두리번거렸다. 해수는 이불을 목까지 끌어당기고 천장을 노려봤다. 빨리 자. B의 날숨에서 담배냄새가 났다. 해수는 이불을 얼굴까지 끌어당겼다. 이불에서 아우라 향기가 말아졌다.

*

면접 대기실에서 받은 번호표는 24번이었다. 20번 앞 번호는 보이지 않았다. 해수는 23번 옆에 앉았다. 서둘러 가슴에 번호표를 달고 있는 해수에게 23번이 다가와 귓속말을 했다. 치마, 돌아갔어요. 해수는 화장실을 찾아 들어가 치마를 돌렸다. 식은땀이 화장과 섞여 양 볼이 번들거렸다. B가 준 파우더를 핸드백에서 꺼내 발랐다. 퍼프에 땀이 묻어 파우더가 자꾸만 뭉쳤다. 바를수록 파우더는 얼굴에서 겉돌았다. 잃어버린 파우치 안에 들어 있던 파우더 팩트 생각이 났다. 뭉치지 않던 파우더였다. 익숙한 것들이 갑자기 사라지면 허전했다. 손을 씻고 화장실을 나서는데 23, 24번 들어오세요, 라는 소리가 들렸다. 해수는 마른 침을 꼴깍 삼켰다.

면접실에는 세 명의 면접관이 앉아 있었다. 의자에 앉자 철제 다리 이음새에서 삐거덕 소리가 났다. 등받이에 등을 대자 소리가 연이어 났다. 동그란 금테 안경을 쓴 면접관이 이력서를 뒤적이다가 23에게 물었다. 23번, 급한 일이 생기면 당장이라도 나와 줄 수 있는 정도의 친구가 몇 명인가요. 열 명 정도입니다. 전화번호를 말해보세요. 23번은 포개놓은 두 손을 그러잡았다. 해수는 몇 명의 친구가 있을까. 해수는 손가락으로 손톱을 문지르며 휴대폰에 저장된 전화번호를 떠올려봤다. 해수는 B의 전화번호 뒷자리가 떠올랐고, 상자의 비밀번호가 아닐까, 라는 생각을 했다. 해수는 자꾸 메이크업 베이스가 두터운 것이 신경이 쓰였다. 파우치를 잃어버리지 않았더라면 메이크업 베이스가 두터운 것에 신경을 쓰지 않을 텐데……. 해수는 얼굴이 석고상 같다는 생각이 자꾸 들었다. 겨드랑이에 땀이 났다. 그때 어디선가 익숙한 벨소리가 울렸다.

면접관들은 서로를 바라보다가 휴대폰을 꺼내 화면을 확인했다. 23번은 내 팔을 살짝 밀며 내 주머니를 눈으로 가리켰다. 23번이 내 주머니를 가리키자 소리가 더 크게 들리는 것 같았다. 진동모드를 해둔다는 것을 깜박 잊은 것이었다. 손바닥에서 땀이 나기 시작했다. 해수는 주머니에 손을 넣어 버튼을 마구 눌렀다. 벨소리는 멈추지 않고 음량이 점점 커졌다. 휴대폰을 꺼내려는 순간 손에서 미끄러진 휴대폰이 바닥으로 떨어졌다. 휴대폰 악세사리 커버가 떨어져 나갔다. 사위가 고요해졌다. 금테안경은 미간을 찡그리며 안경테 너머로 해수를 올려다봤다. 양 볼이 달아올랐다.

면접실 문을 닫는 손에 힘이 들어갔다. 휴대폰 전원을 켜고 전화번호를 확인한다. 지역번호가 02였다. 미납 처리팀에서 온 전화일 것이다. 해수는 휴대폰 전원을 껐다. 그들이 휴대폰 속으로 사라져버린 것만 같았다. 다시 전원 버튼을 눌러 휴대폰을 켰다. O에게 전화를 걸었다. 신호음이 끊길 때까지 O는 전화를 받지 않았다. O는 오늘도 미납금을 내지 않을 것이 뻔했다.

O가 밀린 할부 요금과 미납요금은 대책 없이 불어났다. 뚜렷한 직장 없이 집에 손을 벌리는 O의 손이 지겨워진지 오래였다. 매달 밀린 요금으로 인해 발신이 정지됐다. 미납 처리팀에서는 해수에게 독촉장을 보내왔다. 할부 요금과 매월 청구되는 요금이 일백만 원이 넘어가자, O는 문자를 남기고 연락을 끊었다.

더이상네게져야할의무는없어. 헤어지자고한건너니까.

O는 친구들과의 술자리에 자주 나를 데려갔다. 다섯 살 많은 O와 친구들은 스포츠나 여자 이야기를 했다.

O는 최신형 휴대폰을 사준 후부터 보이지 않는 권력에 빠진 사람처럼 굴었다. 그냥 술자리야. 자리에만 앉아 있으면 돼. 점점 해수는 무의미한 술자리에 인형처럼 앉아 있어야만 했다. O는 거리를 걸을 때도 앞서 걸었고 그런 행동들에 대해 미안함 마음도 없어 보였다. 늦게 걷는 건 너야. O는 여자를 손목에 찬 시계나 자신이 즐겨 입는 니트쯤으로 생각하는 것 같았다. 다섯 살 많은 O에게 할 수 있는 것은 사랑을 가장한 반말뿐이었다. 해수는 헤어져야 한다는 생각이 온종일 머릿속을 동동 떠다녔다. 하지만 할부 요금이 끝날 때까지 O와의 만남을 지속해야 했다. 해수는 O에게 문자를 보냈다. 우리 그만해. 휴대폰은 O가 채운 족쇄 같았다. 해수는 길을 잃은 아이가 된 심정이었다. 면접실에서 가능하면 멀리 도망치고 싶었다.

거리로 나왔을 때 후덥지근한 바람이 얼굴을 덮쳤다. 버스 정류장에 서 있던 사람들의 머리 위로 태양빛이 번뜩였다. 구두 소리가 들렸다.

저기요…….

해수는 소리 나는 쪽으로 고개를 돌렸다. 23번 여자였다. 여자의 구두에 달린 금색 장식이 태양빛에 반사

되어 순간 눈을 감았다.

힘내요.

23번은 비타민 음료를 건넸고, 택시를 잡아탔다. 해수는 차가운 비타민 음료수 병에 물방울이 맺히는 것을 멍하니 내려다봤다.

*

현관문은 잠겨 있지 않았다. B는 없었다. 가게에 갔나. 해수는 B가 빌려준 스커트를 벗어 의자에 올려놓았다. 서둘러 B의 옷장 문을 열었다. 가방이 수북이 쌓인 물류창고 같았다. 크로스백을 들춰 상자를 꺼냈다. 국어사전 크기의 상자를 왼쪽으로 기울여봤다. 상자 안에 부딪히는 물건은 마스카라나 파우더가 아닐까. 차례대로 부딪히는 둔탁한 소리는 파우치에 물건이 담겨 있기 때문이리라. 해수는 상자를 방바닥에 내려두고 자물쇠 번호를 눌렀다. B의 전화번호 뒷자리와 생일을 차례로 눌렀다. 1007, 1224……. 자물쇠는 이를 앙 다문 사람 같았다. 해수는 달력을 가져와 숫자를 조합했다. 2468, 1112, 1568……. 해수는 심지어 O의 전화번호 끝자리까지 눌러봤다. 자물쇠는 움직이지 않았다. 상자를 조심스럽게 흔들어봤다.

누군가 복도를 뛰어올라오는 소리가 들렸다. 해수는 얼른 상자를 옷장에 넣었다. 옆집에서 문 닫는 소리가 들렸다. B가 아니었다. 해수는 스커트에 랑방을 뿌려 B의 옷장 안에 걸었다. 핸드백에 담겨 있는 23번이 주고 간 비타민 음료가 보였다. 해수는 B가 빌려준 파우더와 비타민 음료, 수험번호를 침대 위에 두었다. 상자에 정말 파우치가 들어있을까. 만약 들어 있대도 해수는 비밀번호를 몰랐다. 자물쇠를 부숴 상자를 연다면 해수는 B와 어색한 사이가 될 것이다. B와의 관계는 통장 잔액의 상승곡선과도 같았다. B를 위해 샐러드를 준비하고 설거지를 할 것이다. 평소처럼 B에게 잇몸을 드러내며 웃을 것이다. 몇 달 후의 통장 잔액을 계산하면서 말이다.

해수는 베란다 창문을 열었다. 가로등 불이 희미하게 켜지고 있었다. 어딘가에서 날아왔을 하루살이 떼가 가로등 불 주변을 날아다녔다. 가로등 불은 청포도 알맹이처럼 투명한 연둣빛이었다. 영화 포스터가 유리창에 붙여진 비디오 가게와 반찬가게에 하나둘 불이 켜졌다.

좀 전에 지나쳐온 비디오 가게와 반찬가게 사이로 하루가 지나가고 있었다. 변한 것은 아무것도 없었다. 멀리 B가 검은 비닐봉지를 흔들며 원룸으로 들어서고 있었다. 해수는 B를 향해 손을 흔들었다. B가 검은 비닐봉지를 가리켰다. 해수는 23번이 준 비타민 음료 뚜껑을 열고 한 모금 마셨다. 말랑한 청포도 한 알이 목구멍으로 미끄러졌다. 그렇게 생각하기로 했다.